Astrid Lindgren

Astrid Lindgren werd als Astrid Ericsson geboren op 14 november 1907 in het Zweedse dorpje Näs, waar ze heel gelukkig opgroeide. Aan die onbezorgde jeugd kwam abrupt een einde toen Astrid op 18-jarige leeftijd zwanger werd. Onconventioneel als ze was, trouwde ze niet met de vader van haar kind. Om de dorpsroddels te vermijden werd haar zoontje bij pleegouders ondergebracht en vertrok Astrid zelf naar Stockholm, om er een opleiding tot secretaresse te volgen. Daar ontmoette ze ook haar toekomstige man. Na haar huwelijk kon ze eindelijk haar zoon in huis nemen, en de geboorte van een dochter maakte het gezin compleet. Astrid Lindgren is steeds een onafhankelijke, vooruitstrevende vrouw geweest. Een vrouw die prima voor zichzelf kon zorgen, en niet bang was haar uitgesproken meningen te ventileren. Vooral vond ze dat kinderen met respect behandeld dienden te worden, een opvatting die in al haar boeken doorschemert. Op 28 januari 2002 overleed ze.
Astrid Lindgrens schrijverscarrière begon eigenlijk op de dag dat haar dochtertje om een verhaal vroeg; een verhaal over Pippi Langkous. Meer dan twintig boeken schreef ze daarna, die over de hele wereld gelezen en herlezen worden. Talloze bekroningen kreeg ze voor haar werk, waaronder de Hans-Christiaan-Andersen-Medaille en de Zweedse Staatsprijs voor Literatuur. In Nederland won ze driemaal een Zilveren Griffel, voor 'Lotta uit de Kabaalstraat', 'De gebroeders Leeuwenhart' en 'Ronja de roversdochter'.
Veel van haar boeken bevatten elementen van haar gelukkige kindertijd op het platteland. De warmte en geborgenheid die de verhalen uitstralen, in combinatie met de eigengereidheid van de hoofdpersonen en de grote fantasie van de schrijfster, is ongetwijfeld de reden dat generaties kinderen van Astrid Lindgrens boeken hebben genoten, en dat ook toekomstige generaties ervan zullen blijven genieten.

Astrid Lindgren

Rasmus en de landloper

vertaald door Rita Törnqvist-Verschuur
met tekeningen van Thé Tjong-Khing

ASTRID LINDGREN
BIBLIOTHEEK
9

Uitgeverij Ploegsma Amsterdam

Astrid Lindgren Bibliotheek

Lotta uit de Kabaalstraat
Ronja de roversdochter
Michiel van de Hazelhoeve
Karlsson van het dak
De gebroeders Leeuwenhart
De kinderen van Bolderburen
Mio, mijn Mio
Madieke van het rode huis
Pippi Langkous
Samen op het eiland Zeekraai

Kijk ook op www.ploegsma.nl

AVI 9

ISBN 90 216 1894 x

Achtste druk 2002

Oorspronkelijke titel: 'Rasmus på luffen'
Verschenen bij Rabén & Sjögren, Stockholm

Verspreiding in België: C. de Vries-Brouwers bvba, Antwerpen

I

Rasmus zat op zijn vertrouwde plekje boven in de lindeboom te denken aan dingen die er niet moesten zijn. Allereerst aardappelen! Natuurlijk wel gekookte aardappelen met jus die je op zondag te eten kreeg. Maar als ze op het aardappellandje groeiden en gerooid moesten worden, dan moesten ze er niet zijn. Juffrouw Haviks kon je ook best missen. Want zij was het die altijd zei: 'Wij gaan morgen de hele dag aardappelen rooien.'

'Wíj gaan aardappelen rooien,' zei ze, maar dat betekende echt niet dat juffrouw Haviks van plan was te helpen. O nee, Rasmus, Gunnar, Grote-Peter en de andere jongens konden de hele warme zomerdag zwoegen op het aardappelveldje. En dan de jongens uit het dorp voorbij zien komen op weg naar de rivier om te zwemmen! Die verwaande jongens uit het dorp moesten er eigenlijk ook maar niet zijn!

Rasmus dacht eens na of er nog meer was dat afgeschaft moest worden. Maar hij werd gestoord doordat iemand hem van beneden zachtjes toeriep: „Rasmus! Verberg je! Haviks komt eraan!"

Waarschuwend keek Gunnar door de schuurdeur, en Rasmus haastte zich. Hij glipte weg van zijn plaatsje, en toen juffrouw Haviks een ogenblik later voor de schuurdeur stond, was er geen Rasmus te zien boven in de groene takken van de lindeboom. Dat was maar goed ook, want juffrouw Haviks wilde niet dat jongens als vogeltjes boven in de bomen zaten als er nuttig werk te doen was.

„Jij neemt de dennenblokken wel even mee, Gunnar?"

Met haar scherpe ogen controleerde juffrouw Haviks de houtblokken die Gunnar in zijn mandje had gehaald.

„Ja, juffrouw Haviks," zei Gunnar precies met de stem die je moest hebben als je juffrouw Haviks antwoordde. Die stem waarmee kinderen uit kindertehuizen altijd met de directrice praten. Of met de dominee als die op inspectie is en vraagt of je het niet fijn vindt de tuin zo netjes te maken. Of met de ouders van een jongen uit het dorp die komen vragen waarom je hun zoontje gekrabd hebt, als dat zoontje jou juist uitgescholden heeft op het schoolplein omdat je in een kindertehuis zit. Dan klinkt je stem wel onderdanig, want dat verwachten ze natuurlijk, juffrouw Haviks en de dominee en alle anderen.

„Weet jij waar Rasmus is?" vroeg juffrouw Haviks.

Angstig pakte Rasmus de tak waaraan hij hing nog steviger vast, en hij wilde niets liever dan dat juffrouw Haviks weg zou gaan. Zo erg lang kon hij echt niet meer blijven hangen, en als hij zich niet meer kon houden dan zou hij naar beneden glijden en dan zou juffrouw Haviks hem zien. Dat blauwgestreepte overhemd van het kindertehuis was van verre duidelijk zichtbaar. Vogels in de bomen kun je moeilijk ontdekken, want God heeft ze een beschermende kleur gegeven, zei de juffrouw op school. Maar aan kindertehuisjongens had God geen beschermende kleur gegeven. En daarom wenste Rasmus vurig dat juffrouw Haviks zou verdwijnen voordat hij het moest opgeven.

Het was nog maar zo kort geleden dat juffrouw Haviks op hem gebromd had omdat hij zich veel viezer maakte dan de andere kinderen. Dat schoot hem juist nu te binnen. Wacht maar, de volgende keer dat ze het weer zei, zou hij antwoorden: 'Ik ben bezig een beschermende kleur aan te schaffen.'

Dat zou hij natuurlijk alleen bij zichzelf denken, want zulke dingen zeg je nu eenmaal niet, en zeker niet pal in het gezicht van juffrouw Haviks. Want ze had zulke strenge ogen en zo'n strenge, samengeknepen mond, en soms nog zo'n strenge rimpel in haar voorhoofd.

Gunnar beweerde dat zelfs haar neus er streng uitzag, maar dat vond Rasmus niet. Rasmus vond dat ze een echt mooie neus had.

Maar nu hij daar met bijna lamme armen aan die tak hing kon hij zich echt niets goeds van haar herinneren. En terwijl juffrouw Haviks naast Gunnar stond toe te zien hoe hij angstig meer hout in de mand stapelde, durfde die niet eens meer naar haar neus te kijken, of die nu streng was of niet. Hij zag van haar niets meer dan een stukje gesteven schort.

„Weet je waar Rasmus is?" vroeg juffrouw Haviks nog eens ongeduldig, omdat ze op haar eerste vraag geen antwoord gekregen had.

„Ik zag hem daarnet bij het kippenhok," antwoordde Gunnar. Dat was nog waar ook, want een half uur geleden hadden Gunnar en Rasmus eieren gezocht tussen de brandnetels achter het kippenhok, waar die domme kippen soms stiekem gingen leggen. Gunnar had Rasmus dus echt een poosje geleden bij het kippenhok gezien. Geen haar op zijn hoofd die eraan dacht juffrouw Haviks te vertellen waar hij nu was.

„Als je hem ziet, zeg hem dan dat hij een mandje brandnetels plukt," zei juffrouw Haviks, en ze maakte rechtsomkeert.

„Ja, juffrouw Haviks," zei Gunnar.

„Heb je het gehoord?" vroeg hij toen Rasmus naar beneden kwam klauteren. „Je moet brandnetels plukken."

Brandnetels moesten er ook niet zijn, vond Rasmus. De hele zomer lang moesten ze geplukt worden voor de kippen, die iedere dag gekookte brandnetels te eten kregen. „Kunnen die sufferds ze zelf niet plukken, als ze voor hun neus groeien!"

„Nee zeg, geen sprake van," zei Gunnar, „alsjeblieft, opgediend en wel."

Hij maakte een diepe buiging voor een kip, die zacht kakelend voorbij wandelde.

Rasmus wist nog niet zeker of kippen afgeschaft moesten worden, maar ten slotte vond hij dat ze maar moesten blijven. Anders zou je geen zondags eitje krijgen, en zonder zondags eitje zou je nauwelijks weten dat het zondag was. Nee, kippen moesten maar blijven, en die brandnetels moest hij eigenlijk meteen maar gaan halen.

Rasmus was echt niet luier dan andere jongens van negen jaar. Hij had alleen een voor zijn leeftijd natuurlijke tegenzin in alles wat hem ervan afhield in bomen te klimmen, in de rivier te zwemmen, rovertje te spelen en achter het aardappelhok in hinderlaag te liggen als een van de meisjes aardappelen kwam halen.

Zulke dingen moest je doen als je vakantie had. Maar je kon juffrouw Haviks zoiets toch niet aan haar verstand brengen. Want het kindertehuis Zuiderveld was van de gemeente, en bestond gedeeltelijk van de opbrengst van groente en eieren. De kinderen waren goedkope en noodzakelijke arbeidskrachten, en juffrouw Haviks vergde niets onmenselijks van ze, al vond Rasmus het wel onmenselijk dat hij een hele dag aardappelen moest rooien. Maar omdat hij al op zijn dertiende jaar voor zichzelf zou moeten zorgen, evenals alle kinderen zonder ouders, moest hij op tijd leren werken, dat begreep juffrouw Haviks.

Ze begreep echter niet hoe noodzakelijk het zelfs voor kinderen uit een kindertehuis is om te spelen, maar dat kon je van haar misschien niet verlangen, omdat ze zelf nooit echt gespeeld had.

Rasmus plukte gehoorzaam brandnetels achter het kippenhok. Maar hij kon het niet laten de kippen ondertussen eens de waarheid te vertellen.

„Luiwammesen! Jullie moesten je schamen! Er groeit hier een massa brandnetels om wanhopig van te worden. Maar nee hoor, jullie niet gezien! En ik kan hier als een slaaf rondlopen om ze steeds maar weer voor jullie te plukken!”

Hoe langer hij erover nadacht des te meer voelde hij zich een slaaf, en dat was eigenlijk nog wel leuk ook. Want de juffrouw op school had vorig jaar een boek over de slaven in Amerika voorgelezen. Het allerleukste wat er bestond was het voorlezen van de juffrouw, en dat boek over de negerslaven was het mooiste dat Rasmus kende.

Hij plukte brandnetels en kreunde zachtjes. Want nu sloeg de slavendrijver hem met zijn zweep, en de bloedhonden lagen gereed om te voorschijn te springen als hij zijn mand niet vlug genoeg kon vullen.

Hij plukte nu katoen, en geen brandnetels. De grote handschoen die hij als bescherming tegen de prikkels aanhad, was nu niet bepaald datgene wat je je bij een negerslaaf zou voorstellen, in de brandende zon van de zuidelijke staten, maar hij kon de handschoen niet missen. Rasmus plukte en plukte. En soms hebben zelfs negerslaven een gelukje!

Een eindje verder groeiden een paar grote brandnetels. Rasmus had zijn mand nu vol, maar hij ging ze toch nog plukken om de bloedhonden op stang te jagen. Daar zag hij iets liggen, half verborgen onder het groen, en het leek heel veel op een stuiver. Zijn hart begon te bonzen. Nee, het kón geen stuiver zijn, zoiets gebeurt toch niet in werkelijkheid!

Voorzichtig trok hij zijn handschoen uit. En hij greep naar het voorwerp dat hij daar zag liggen.

Ja, het was écht een stuiver! Het katoenveld verdween, de bloedhonden gingen op in rook en de arme negerslaaf stond daar uitgelaten van vreugde. Want wat kun je voor een stuiver niet allemaal krijgen! Een zak toffees, of vijf toverballen, of een chocoladereep. Dat was allemaal te krijgen in de winkel in het dorp.

Misschien kon hij er morgen tussen de middag even naartoe rennen. Hij kon natuurlijk ook niet naar het dorp gaan en het stuivertje zelf houden en dag in dag uit met de gedachte rondlopen dat hij rijk was, en kon kopen wat hij wilde.

Ja, kippen en brandnetels moesten er allebei maar blijven, want zonder de kippen en de brandnetels was dit niet gebeurd. Hij had er al spijt van dat hij die arme kippen daarnet zo onaardig had toegesproken. Niet dat ze zich er iets van aantrokken terwijl ze daar rondstapten in het kippenhok, maar hij wilde ze toch vertellen dat hij niets tegen ze had.

„Ja hoor, blijven jullie er maar gerust," zei hij en liep op het gaas van het kippenhok af. „En ik zal iedere dag brandnetels voor jullie plukken."

Juist op dat ogenblik gebeurde er weer iets wonderbaarlijks, want hij zag opnieuw iets moois op de grond liggen. Vlak voor de pootjes van een kakelende kip lag een schelp. Midden tussen alle viezigheid lag daar een mooie, witte schelp met kleine bruine stippeltjes.

„O," zei Rasmus, „wat mooi!" Hij maakte handig de deur van het kippenhok open. En zonder zich iets aan te trekken van het angstige gekakel van de kippen en van het wilde gefladder naar alle kanten, schoot hij naar voren en greep hij de schelp.

Nu was zijn geluk zo groot dat hij het niet meer alleen kon dragen. Hij moest dit alles aan Gunnar gaan vertellen. Arme Gunnar, die een uur geleden met hem bij het kippenhok was geweest en die geen schelp en geen stuiver had gevonden! Rasmus dacht na. Misschien lagen ze er een uur geleden nog niet. Misschien waren ze pas te voorschijn getoverd op het ogenblik dat Rasmus brandnetels begon te plukken. Misschien was dit wel een wonderdag voor hem, waarop er alleen maar bijzondere dingen gebeurden.

Hij moest maar eens aan Gunnar gaan vragen wat die ervan vond. In volle vaart holde Rasmus weg, maar hij bleef onmiddellijk staan toen hij zich de mand met brandnetels herinnerde. Toen hij die weer opgehaald had, rende hij, met de mand in de ene hand en met de schelp en het stuivertje stevig in de andere hand geklemd, naar Gunnar toe.

Hij vond hem bij de speelplaats, waar de kinderen altijd na afloop van het werk samenkwamen. Daar stond de hele troep nu bij elkaar, en je kon zo zien dat er iets aan de hand was. Er moest iets gebeurd zijn terwijl Rasmus weg was.

Rasmus deed zijn best om Gunnar even mee te krijgen en hem zijn kostbaarheden te laten zien. Maar Gunnar dacht aan veel belangrijker zaken.

„Wij gaan morgen geen aardappelen rooien," zei hij kort. „Er komen een paar mensen die een kind uit willen zoeken."

Bij een dergelijk bericht bleef er van de stuiver en de schelp haast niets meer over. Dat iemand van de kinderen een eigen thuis zou krijgen, daarmee kon niets vergeleken worden. Stuk voor stuk droomden de kinderen van Zuiderveld van dit geluk. Zelfs de grote jongens en meisjes die er algauw aan toe waren om voor zichzelf te zorgen, hoopten tegen beter weten in dat dit wonder hun te beurt zou vallen. Ja, zelfs de lelijkste, vervelendste en meest onhandelbare kinderen konden de hoop niet laten varen dat er eens op een mooie dag iemand zou komen, die om een onverklaarbare reden juist hem of haar wilde hebben. Niet als knecht of als hulpje die ze konden uitschelden, maar als eigen kind. Eigen ouders te hebben, dat was het grootste geluk dat kinderen uit het kindertehuis zich konden voorstellen.

Ze wilden natuurlijk niet allemaal voor dit hopeloze verlangen uitkomen. Maar Rasmus, die nog maar negen jaar was, liet duidelijk merken hoeveel het hem kon schelen.

„Stel je eens voor," zei hij, „dat ze mij willen hebben. O, wat zou ik dat graag willen."

„Och, verbeeld je maar niets," zei Gunnar. „Ze nemen altijd meisjes met krullen."

Hier werd Rasmus helemaal stil van, en de teleurstelling stond op zijn gezicht te lezen. Smekend keek hij Gunnar met een paar ernstige ogen aan.

„Geloof je dan niet dat er toch wel iemand kan zijn die een jongen met steil haar wil hebben?"

„Ze willen meisjes hebben met krullen, heb ik net gezegd."

Zelf was Gunnar een héél lelijke jongen met een knobbelneus en haar als uitgeplozen touw. En hij zou aan niemand ooit bekennen dat ook hij hoopte een vader en een moeder te krijgen. Geen mens zou aan hem mogen zien dat hij zich iets aantrok van datgene wat morgen zou gaan gebeuren.

Toen Rasmus een poosje later in zijn smalle bed naast Gunnar in de jongensslaapzaal lag, herinnerde hij zich dat hij nog steeds niet verteld had van de schelp en het stuivertje. Hij boog zich over de rand van zijn bed en fluisterde: „Zeg, Gunnar, er is vandaag zoveel bijzonders gebeurd."

„Wat voor bijzonders?" vroeg Gunnar.

„Ik heb vijf centen en een heel mooie schelp gevonden, maar vertel het aan niemand!"

„Laat eens zien," fluisterde Gunnar nieuwsgierig. „Kom, we gaan naar het raam om te kijken."

Ze slopen in hun pyjama naar het raam. In het licht van de zomeravond liet Rasmus zijn schatten zien aan Gunnar, heel voorzichtig zodat niemand anders ze zag.

„Wat heb jij een geluk," zei Gunnar, en hij raakte met zijn wijsvinger de gladde schelp even aan.

„Ja, ik heb geluk. En daarom geloof ik dat ze me toch willen hebben, die mensen die morgen komen."

„Ja, dat kan natuurlijk," zei Gunnar.

In het dichtstbijzijnde bed lag Grote-Peter, de oudste jongen van het kindertehuis, en dus natuurlijk de aanvoerder.

Hij was rechtop in zijn bed gaan zitten en luisterde gespannen.

„Ga gauw naar bed," zei hij. „Haviks komt eraan... Ik hoor haar de trap op stommelen."

Gunnar en Rasmus vlogen hun bed in, en toen Haviks kwam was het muisstil in de zaal.

De directrice deed, zoals iedere avond, de ronde. Ze liep van het ene bed naar het andere, en controleerde of alles in orde was. Een heel enkele keer gebeurde het dat ze een jongen aaide. Dan leek het nog of ze het met tegenzin deed. Rasmus hield niet van Haviks. Maar iedere avond hoopte hij dat ze hem zou aaien. Hij wist zelf niet waarom, maar hij verlangde er zo naar dat ze het zou doen.

'Als ze me vanavond aait,' dacht Rasmus in zijn bed, 'dan betekent dit dat ik morgen ook een wonderdag zal hebben, en dat de mensen die komen mij willen hebben, hoewel ik steil haar heb.'

Juffrouw Haviks was nu bij het bed van Gunnar. Rasmus was helemaal verstijfd van spanning. Nu... nu zou ze bij hem komen.

„Rasmus, lig je deken niet kapot te bijten," zei juffrouw Haviks.

Daarna ging ze verder, en een ogenblik later trok ze zacht en onverbiddelijk de deur achter zich dicht. Het was stil in de slaapzaal. Maar uit het bed van Rasmus kwam een diepe zucht.

2

Wat werd er de volgende ochtend in het washok van de jongens veel zeep gebruikt! Pleegouders waren dol op frisgewassen oren en schoongeborstelde handen, als je Haviks mocht geloven. Vandaag moest je er zo voordelig mogelijk uitzien.

Rasmus deed een massa zeep in zijn waskom en begon zich te schrobben zoals hij het sinds de dag voor Kerstmis niet meer gedaan had. Hij was een jongen met steil haar – daar was nu eenmaal niets aan te doen – maar als het op de oren aankwam, dan zou hij te voorschijn komen met de schoonste oren van heel Zuiderveld, en er zou ook niemand zijn met rodere en harder geborstelde handen. De meisjes hadden ook hier natuurlijk weer een streepje voor, want die waren vanzelf zo verschrikkelijk schoon. Het was alsof het vuil niet aan ze vast bleef kleven zoals dit bij de jongens het geval was. Ze waren trouwens ook de hele tijd bezig met afwassen, en boenen en bakken, allemaal van die dingen waar je op de koop toe nog schoon van werd ook.

In het midden stond Grote-Peter, die nog geen zeep of borstel aangeraakt had. In de herfst zou hij dertien worden, en dan moest hij Zuiderveld verlaten, of hij wilde of niet. Hij wist dat hij bij de een of andere boer in de omtrek als knechtje zou moeten beginnen, en hij wist ook dat zelfs geen schoongewassen oren hieraan iets konden veranderen.

„Ik vertik het om me vandaag te wassen," verkondigde hij luid. Ze hielden allemaal op met borstelen en keken hem aandachtig aan. Grote-Peter was immers de aanvoerder, en nu hij niet van plan was zich te wassen werd het een beetje moeilijk voor de anderen om zelf te beslissen wat zij zouden doen.

„Ik vertik het ook om me te wassen!" Vastbesloten legde Gunnar de borstel weg. Ook hij wist heel goed dat water en zeep hem niet zouden helpen.

„Ben je gek geworden?" zei Rasmus, terwijl hij zijn druipende haar afdroogde. „Je weet toch wie er komen!"

„Jij denkt, geloof ik, dat het de koning in eigen persoon is," zei Gunnar.

„Het kan me niks schelen wie er komt. Of het nu de koning is of een voddenkoopman, ik was me in geen geval."

Tante Olga in de keuken, die iets spraakzamer was dan juffrouw Haviks, had verteld dat er een koopman zou komen. Geen voddenkoopman, maar een keurige rijke meneer, die zijn vrouw mee zou nemen. Ze hadden zelf geen kinderen die eens hun zaak zouden kunnen erven. Daarom kwamen ze naar Zuiderveld om daar een kind te halen, zei tante Olga.

Wat zou het geweldig zijn om een hele winkel te erven, dacht Rasmus. Een winkel vol toffees, zuurtjes en dropveters, en ja, natuurlijk ook meel en koffie en zeep en haring.

„Ik was me in ieder geval wel," zei hij, en begon zich stevig te schrobben.

„Ja, was jij je maar," zei Gunnar. „Ik zal je wel helpen." Hij greep hem vast bij zijn nek en dompelde hem onder in de wasbak. Rasmus kwam boos proestend weer te voorschijn. Maar Gunnar schaterde van plezier.

„Je bent toch niet boos, hoop ik?" zei hij plagerig.

Toen begon Rasmus ook te lachen. Op Gunnar kon hij nooit lang boos blijven. Maar hij zou hem er in ieder geval behoorlijk van langs geven. Hij pakte zijn waskom en stapte dreigend op Gunnar af, die midden voor de slaapkamerdeur stond en de aanval afwachtte. Rasmus tilde de kom op. Nu zou Gunnar ervan lusten.

Maar juist toen Rasmus klaarstond met de waskom, sprong zijn slachtoffer snel een eindje opzij. Op hetzelfde ogenblik ging de deur open, en als een tropische slagregen stroomde de inhoud van de kom over degene die op de drempel stond. En dat was juffrouw Haviks. Wanneer er zoiets gebeurt is er helaas maar één die zijn lachen kan inhouden, en dat is het slachtoffer dat het water over zich heen krijgt. Juffrouw Haviks kon heel gemakkelijk haar lachen inhouden, maar de jongens lieten een gesmoord gegiechel horen, en over het gegiechel heen klonk een heel angstig lachje.

Dat was afkomstig van Rasmus. Een waanzinnig kort ogenblik lachte hij, maar daarna stond hij stomgeslagen en wanhopig op de ramp te wachten. Want een ramp moest het worden, dat begreep hij.

Juffrouw Haviks kon zich beheersen, dat liet ze ook nu weer zien. Ze schudde zich een beetje als een natte hond en keek Rasmus met strenge, afkeurende ogen aan.

„Ik heb nu geen tijd voor je, maar straks zal ik wel even met je praten," zei ze. Toen klapte ze hard in haar handen en riep: „Over een half uur komen jullie allemaal op de speelplaats. Dan moet je je bed opgemaakt hebben, de slaapzaal aangeveegd hebben en klaar zijn met eten."

Hierna verdween juffrouw Haviks zonder Rasmus met een blik te verwaardigen. Toen ze weg was brak het gejubel los.

„Nou, die kreeg me ook een plensregen," zei Grote-Peter. „Deze keer schoot je precies in de roos, Rasmus." Maar daarover kon Rasmus niet blij zijn. Dit was geen goed begin van de dag. Dit was geen wonderdag, en geen dag waarop hij eigen ouders zou krijgen. Hij zou straf krijgen, en waarschijnlijk een heel zware straf, omdat hij iets heel ergs gedaan had. Hij bibberde van angst, en zijn hele magere jongenslichaampje schokte.

„Trek je kleren aan," zei Gunnar. „Je ziet helemaal blauw van de kou." En een beetje zachter voegde hij eraan toe: „Het was mijn schuld dat je het water over de Havik uitgoot."

Rasmus trok klappertandend zijn hemd en broek aan. Het deed er niets toe wiens schuld het was. Ze hadden er immers geen van beiden aan kunnen denken dat het zo af zou lopen. Maar hij was bang, wanhopig bang voor de straf die de Havik voor hem zou bedenken. Als je werkelijk kwaad gedaan had, dan gebeurde het wel eens dat juffrouw Haviks je met een Spaans rietje sloeg.

Dat was Grote-Peter eens overkomen, toen hij appels had gestolen in de tuin van de dominee. En Elof, toen die op een ochtend zo boos op tante Olga in de keuken was geworden, dat hij haar uitgescholden had voor keukenheks, zodat de Havik het kon horen.

Maar het was altijd nog erger om een hele bak met water over de directrice uit te gieten, dan om appels te stelen en iemand uit te schelden voor keukenheks. Ja, hij zou zeker voor zijn broek krijgen met een Spaans rietje in de kamer van de Havik.

'Als ze me slaat, dan ga ik dood,' dacht Rasmus. 'Dan ga ik zonder meer dood, en dat is maar goed ook.' Als je toch maar uit het kindertehuis kwam, en steil haar had, dan kon je net zo goed dood zijn.

Hij was nog steeds bedrukt toen hij met de anderen op de speelplaats kwam. Juffrouw Haviks stond er al, gekleed in een keurige, zwarte jurk met een wit, gesteven schort.

Ze klapte in haar handen en zei: „Zoals jullie misschien gehoord hebben krijgen we vandaag bezoek. Straks komen er een meneer en mevrouw, die jullie willen bekijken en wat met jullie willen praten. Speel maar net zoals altijd, of liever nog een beetje behoorlijker dan anders. Zo, begin maar!"

Rasmus wilde helemaal niet beginnen te spelen. Hij dacht niet dat hij ooit nog zou willen spelen. In plaats daarvan klauterde hij naar zijn vertrouwde plekje in de lindeboom. Daar kon hij tenminste rustig zitten nadenken. En daar kon hij ook de weg overzien, en kijken of de koopman er al aankwam. Al had hij ook geen greintje hoop meer dat die mensen hem uit zouden kiezen, toch vond hij het interessant om te zien hoe ze eruitzagen.

Daar zat hij nu onder zijn groene dak te wachten. De schelp en de stuiver had hij in zijn broekzak. Hij haalde ze te voorschijn en bekeek ze; het was fijn ze in zijn hand te houden.

'Mijn kostbaarheden,' dacht hij stilletjes. 'Mijn prachtige kostbaarheden.'

Ondanks alle ellende kon hij het toch niet laten een beetje blij te zijn met zijn ongelooflijke rijkdom.

Op dat ogenblik hoorde hij in de verte het zachte getrappel van paardenhoeven. Het geluid kwam dichterbij, en kort daarna zag hij een rijtuig de bocht om komen. Twee bruine paarden draafden vrolijk over de stoffige straatweg, en toen het rijtuig vlak voor het hek was aangekomen, liet de koetsier de paarden halt houden door luid 'ho' te roepen.

Er zaten een heer en een dame in het rijtuig. O, wat een mooie dame! Ze had een klein blauw hoedje op met witte veren, die heen en weer wuifden op haar hoog opgestoken, blonde haar. En ze had een witte parasol van kant om zich te beschermen tegen de zon, maar die hield ze gelukkig naar achteren, zodat Rasmus haar mooie gezicht heel goed kon zien. De lichte, katoenen jurk was ook zo mooi met de wijde zwaaiende rok, en toen ze uit het rijtuig stapte, tilde zij de rok een eindje omhoog met een klein, blank handje.

Rasmus vond dat ze er precies zo uitzag als zo'n fee die in de bossen woonde. Het kleine, dikke mannetje dat haar uit het rijtuig hielp, was helemaal niet zo mooi. Hij zag er niet in het minst sprookjesachtig uit. Maar ja, hij had ook een winkel vol dropveters en zuurtjes, en dat maakte weer een heleboel goed. Met kleine, keurige pasjes liep de dame door het hek, dat haar man voor haar openhield.

Rasmus boog zich zo ver mogelijk voorover om niets te missen van deze sprookjesachtige verschijning. Stel je eens voor dat je zo iemand als moeder had, hoe zou dat wel voelen?

„Moeder," zei Rasmus stilletjes in zichzelf, om te proberen hoe het klonk. „Moeder!"

Als dit nu toch eens zijn wonderdag zou zijn! Dan zou deze mooie mevrouw begrijpen dat ze, van heel Zuiderveld, niemand beter dan hem tot kind kon krijgen. Dan zou ze zeggen zodra ze hem zag: 'Kijk, hier hebben we nu juist zo'n jongen met steil haar, die we zo graag willen hebben.' De koopman zou dan knikken en zeggen: 'Ja, hij is heel geschikt om in de winkel te helpen, misschien kan hij voor de afdeling van de snoepjes zorgen!'

Wanneer juffrouw Haviks dan zou komen om hem mee te nemen naar haar kamer en hem slaag te geven, dan zou de koopman zeggen: 'Wilt u alstublieft onze jongen niet aanraken?'

Daarna zouden ze hem snel meenemen in het rijtuig, en hij zou de hand vast mogen houden van de mooie mevrouw. Bij het hek zou de Havik ze staan na te gapen met haar rietje. Hoe verder het rijtuig weg was, des te vager zou ze het hoefgetrappel horen. Ten slotte zou ze niets meer horen, en dan zou ze huilend tegen zichzelf zeggen: 'Daar ging Rasmus.'

Hij zuchtte. Als er nu niet zoveel meisjes met krullen op de wereld waren geweest! Greta, en Anna-Stina, en Elna, alleen in het kindertehuis al drie. En dan Elin, maar die was een beetje eigenaardig.

Opeens kreeg hij haast om gauw naar beneden te komen.

De koopman en zijn vrouw waren al op de speelplaats, en zouden ieder ogenblik een meisje met krullen te pakken kunnen krijgen. In ieder geval zou hij zich voordien vertonen, dan was het hun eigen schuld als ze hem niet wilden hebben.

Vastbesloten stapte hij de speelplaats op, waar juffrouw Haviks juist de bezoekers welkom had geheten.

„Kom, laten wij onder het praten koffie gaan drinken in de tuin," zei ze, terwijl ze allervriendelijkst glimlachte. „Ondertussen kunt u de kinderen in het oog houden."

De mooie mevrouw lachte ook. Nogal verlegen lachte ze, en aarzelend keek ze in het rond te midden van alle kinderen.

„Ja, dan kunnen we zien wie..."

Haar man gaf haar een opmonterend klopje op de schouder.

„Ja, ja," zei hij. „Nu gaan we lekker een kopje koffie drinken."

De kinderen speelden slagbal op de speelplaats ernaast. Ze hadden de opdracht gekregen om te spelen, en dus deden ze dat. Maar het was een erbarmelijke onderneming, waar niemand enig plezier in had. Want je kon toch niet spelen wanneer je hele toekomst alleen maar afhing van de indruk die je deze morgen maakte. Er werden heel wat verstolen blikken geworpen op de drie mensen die om de tuintafel zaten, bij de seringenhaag. Een doffe stilte heerste er op de speelplaats. Niemand maakte ruzie, niemand lachte, het enige wat je kon horen was de klap van het slaghout tegen de bal, en dat was een vreemd, akelig geluid op deze stille zomermorgen.

Schuw als een lammetje dat de kudde kwijtgeraakt is, kwam Rasmus vanachter de seringenhaag aanrennen. Hij had geen flauw vermoeden dat juffrouw Haviks en haar gasten aan het tuintafeltje zaten. En toen hij ze ontdekte was het te laat om om te keren en een andere weg te nemen. Hij moest er wel voorbijgaan, en hij deed dit met eigenaardig stijve benen en een ongelukkige uitdrukking op zijn gezicht. Stiekem gluurde hij even naar juffrouw Haviks. Hij was vreselijk dicht bij haar, veel dichterbij dan prettig was, en hij struikelde toen hij probeerde om er zo vlug mogelijk vandaan te komen en zich aan te sluiten bij de kinderen op de speelplaats. Hij gluurde natuurlijk ook eventjes naar de mooie mevrouw, en juist op dat ogenblik keek ze hem aan. Het leek alsof hij aan de grond genageld was. Hij bleef verlegen staan, en staarde alleen maar.

„Rasmus," zei juffrouw Haviks op scherpe toon. Ze ging echter niet verder, want tenslotte waren deze mensen toch gekomen om de kinderen te bekijken.

„Heet jij Rasmus?" vroeg de mooie mevrouw. Rasmus kon niet antwoorden, hij knikte alleen maar.

„Zou je niet eens netjes buigen, wanneer je groet?" stelde juffrouw Haviks voor.

„Wil je een speculaasje?" vroeg de vrouw van de koopman, terwijl ze er een van de schaal pakte.

Rasmus begon te blozen en boog haastig. Hij wierp een vluchtige blik op juffrouw Haviks – mocht je een speculaasje aannemen of niet? Juffrouw Haviks knikte en Rasmus nam het koekje.

„Zou je niet bedanken wanneer je een koekje krijgt?" vroeg juffrouw Haviks.

Rasmus werd nog veel roder en bedankte zachtjes. Daarna bleef hij besluiteloos staan en wist niet wat hij moest doen. Hij durfde het koekje niet op te eten, en hij wist niet of het de bedoeling was dat hij nu wegging of dat hij moest blijven staan.

„Kom, ga nu maar spelen," zei juffrouw Haviks, en toen draaide hij zich om en holde er in dolle vaart vandaan. Op het gras naast de speelplaats ging hij verdrietig het koekje zitten opeten. Nu had hij zich werkelijk als een ezel gedragen, hij had er zo stom en onhandig bij gestaan en kon nog niet eens buigen en bedanken. Nu moest de vrouw van de koopman wel vinden dat hij een sufferd was.

Steeds hoger kwam de zon aan de hemel te staan. Het was een schitterende, heldere zomerdag, en niemand hoefde aardappelen te rooien. Maar voor de kinderen van Zuiderveld was het toch een moeilijke dag, vol pijnlijke afwachting. Algauw hielden ze op met slagballen. Niemand was in staat net te doen alsof het leuk was. Ze wisten niet hoe ze deze wonderlijke vrije tijd door moesten komen, die pas op zou houden wanneer die mensen hun besluit genomen hadden. Nooit had de ochtend zo lang geduurd voor de kinderen. Ze stonden verveeld in kleine groepjes op de speelplaats, en niemand kon zijn ogen van de dame met de parasol afhouden. Haar man zat nog aan de tuintafel de krant te lezen, kennelijk was zij het die de keuze moest maken. En de vrouw van de koopman liep van de ene groep naar de andere. Beurtelings praatte ze met de kinderen, een beetje moeizaam, een beetje verlegen. Ze wist niet precies wat ze tegen al deze stakkers moest zeggen, die haar zo eigenaardig aanstaarden. Daar had je die kleine jongen Rasmus, die wel het ergst van allen staarde. Hij had een smekende uitdrukking in zijn ogen, die donkere ogen, die veel te groot waren in dat smalle gezicht vol sproeten. Maar er waren er meer die met hun ogen smeekten. Daar had je bijvoorbeeld dat kleine dikke meisje met die rode wangen en een massa blonde krullen tot op haar voorhoofd. Haar moest je wel zien, en het was niet mogelijk om haar bij het rondlopen uit het oog te verliezen. Het was een klein, vrijmoedig ding, de enige die je glimlach durfde te beantwoorden. De vrouw van de koopman gaf haar spontaan een tikje op haar wang.

„Hoe heet jij, kleine meid?"

„Greta," zei de blonde krullenbol, allerliefst lachend. „Wat hebt u een mooie parasol, mevrouw," zei ze.

Mevrouw zwaaide met haar witte kanten parasol, en vond hem zelf ook prachtig. Maar helaas liet ze hem opeens op het grasveld uit haar handen vallen. Voordat ze zich kon bukken om hem te pakken, had Greta het al gedaan.

Maar Greta was niet de enige. Rasmus had er steeds heel dichtbij gestaan, zo dicht bij de mevrouw als maar mogelijk was, en nu wierp hij zich op de parasol. Want eindelijk zou hij laten zien dat ook hij beleefd kon zijn.

„Laat los," zei Greta, en trok aan de parasol.

„Nee, ik zal..." zei Rasmus.

„Laat los," zei Greta opnieuw, en trok nog eens. En plotseling stond

Rasmus, verbouwereerd van schrik, met grote ogen te staren naar een losse knop, die hij in zijn hand hield. De rest van de parasol had Greta. Zij was even onthutst. Toen ze eindelijk begreep wat er gebeurd was, begon ze te huilen.

Op dat ogenblik kwam juffrouw Haviks aangesneld.

„Rasmus, ongelukskind!" schreeuwde ze. „Ik geloof dat je vandaag je verstand kwijt bent. Kun je dan nooit leren om je als een fatsoenlijke jongen te gedragen!"

Tranen van wanhoop en schaamte begonnen te branden in de ogen van Rasmus en hij bloosde verschrikkelijk. De vrouw van de koopman werd helemaal naar van zoveel kinderverdriet.

„Het doet er niets toe, hoor," zei ze vol medelijden. „Het kan best weer gemaakt worden. Mijn man is erg handig."

Ze pakte haar kapotte parasol op en haastte zich naar haar man, die nog steeds aan de tuintafel zat. Greta droogde vlug haar tranen en liep er als een nieuwsgierig hondje achteraan. Op een paar passen afstand bleef ze vol interesse toekijken hoe de koopman de knop weer vastschroefde en de parasol weer heel maakte.

„Wat fijn dat hij weer gemaakt kon worden," zei ze tevreden. Ze lachte, en het blonde, krullende haar glansde in de zon.

Maar Rasmus was verdwenen. Hij schaamde zich zo over zijn kinderachtige tranen, dat hij zijn toevlucht zocht op de wc. Dat was tenminste een rustig plaatsje voor verdrietige mensen, de beste plek om al je zorgen te vergeten. In de stapel kapotgeknipte kranten vond je altijd wel iets leuks te lezen, dat je voor het ogenblik alle mooie mevrouwen met kanten parasols deed vergeten.

Rasmus ging helemaal op in wat hij las. Hij bofte, want hier stond iets heel spannends te lezen. Met opengesperde ogen verslond hij een van de krantenberichten.

Roofoverval op een fabriek in Westholm

Een ernstige roofoverval heeft gisteren plaatsgevonden in de fabriek van Westholm. Twee gemaskerde mannen zijn het kantoor binnengedrongen en hebben, met revolver in de hand, de hele kassa buitgemaakt waarin zich het volledige loon voor de volgende week bevond. Na deze daad zijn de schuldigen verdwenen zonder een spoor achter te laten.

Rasmus zag de gemaskerde mannen voor zich en griezelde van spanning. Op dit ogenblik dacht hij helemaal niet meer aan de vrouw van de koopman.

Maar toen het echtpaar een paar uur later uit Zuiderveld vertrok, stond hij net zo lang bij het hek te kijken tot er geen glimp meer van het rijtuig was te zien. Daar achterin zat Greta. Haar blonde hoofdje was te zien naast de blauwe hoed met de veren. Daar ging Greta...

Ze hield zeker onder het rijden de hand van de mooie mevrouw vast.

3

„Wat zeg je me ervan," zei Gunnar, toen het rijtuig was verdwenen. „Ze nemen altijd meisjes met krullen, net wat ik je zei."

Rasmus knikte. Het was waar. Jongens hadden geen kans als er meisjes met krullen in de buurt waren. Maar ergens op de wereld moest er toch wel iemand zijn die een jongen met steil haar wilde hebben. Eén iemand... ergens... ver voorbij die bocht van de weg.

„Weet je wat je eigenlijk moest doen?" vroeg Rasmus vol verlangen. „Je moest er eigenlijk vandoor gaan en zelf ouders zoeken."

„Hoe dan? Wat voor ouders?" Gunnar begreep er niets van.

„Nou, een paar mensen die je willen hebben. Als er geen anderen bij zijn, zodat ze kunnen kiezen, dan moeten ze je wel nemen, al heb je geen krullen."

„Jij bent me ook een slimmerd," zei Gunnar. „Ja, ik vind echt dat je eens aan de Havik moet gaan zeggen: Het spijt me erg, maar vandaag kan ik geen aardappelen rooien, want ik ga op zoek naar een paar ouders die me willen hebben."

„Nee, sufferd, je moet er natuurlijk vandoor gaan zonder het aan de Havik te vragen. Weglopen, begrijp je?"

„Ja, ga jij er maar vandoor," zei Gunnar. „Je komt wel weer thuis als je honger hebt, en als jij nog nooit voor je broek hebt gehad, dan krijg je het dan wel."

Gunnar had het over slaag. Er ging een schok door Rasmus heen. Hoe had hij dat vreselijke dat hem wachtte kunnen vergeten? Hij zou toch van de Havik een pak voor zijn broek krijgen met een Spaans rietje, tenminste, dat vermoedde hij. Alleen al bij de gedachte brak het koude zweet hem uit.

„Kom, we gaan wat slagballen," zei Gunnar. „Als je er tenminste niet nu al vandoor gaat."

Gunnar legde zijn arm om zijn schouders. Gunnar was aardig, en zijn arm gaf hem weer een beetje steun. Rasmus was nu meer op zijn gemak en ging mee naar de speelplaats.

Alle anderen stonden daar bij elkaar rondom Grote-Peter, die met een aanstellerig lachje rondtrippelde en koopmansvrouw speelde.

„Hoe heet jij wel, kleine vent?" zei hij, terwijl hij Elof een tikje op zijn hoofd gaf. „Vind je het wel leuk op Zuiderveld? Heb jij wel eens zo'n auto gezien? Heb je het wel eens in je broek gedaan?"

Dat laatste had niemand van de kinderen haar horen zeggen, maar ze hadden er allemaal plezier om. Het was fijn om de gek te kunnen steken met iemand die zoveel heimelijke onrust en verlangens veroorzaakt had. En die nooit meer hiernaartoe zou komen met haar mooie blauwe hoed en haar kanten parasol.

„Kijk, daar hebben we de jongens met de waskom!" schreeuwde Grote-Peter, toen Gunnar en Rasmus er aankwamen. „Wat voor waterballet ga je morgen met de Havik opvoeren?"

Rasmus had niet de minste zin om over zijn waterballet te gaan praten, maar als Grote-Peter zich verwaardigde om iets tegen je te zeggen, dan moest je daar wel op ingaan.

„Tja, ik zou kunnen proberen de tuinslang te pakken te krijgen om haar daarmee nat te spuiten," zei hij uit de hoogte.

Ze lachten allemaal goedkeurend, en Rasmus ging verder, aangemoedigd door zijn succes: „Misschien neem ik de grote brandspuit wel om haar eens flink op d'r nummer te zetten!"

Gek genoeg was er niemand die hierom lachte. Ze stonden allemaal opeens doodstil te staren naar iets achter Rasmus. Met een vreemd gevoel in zijn buik keerde hij zich om, om te zien wat er was.

De Havik was het, de Havik in een zwarte mantel met pofmouwen en met haar zondagse hoed op; ze zou in de pastorie een kopje koffie gaan drinken, had tante Olga gezegd... hemel nog aan toe, dat ze er nu net aan moest komen.

„Aha, jij gaat mij op mijn nummer zetten," zei juffrouw Haviks haast geamuseerd. „Kom morgenochtend om acht uur maar eens op mijn kamer, dan zullen we wel eens zien wie er op zijn nummer gezet wordt."

„Ja Hav... juffrouw," stamelde Rasmus, helemaal buiten zichzelf van schrik.

Juffrouw Haviks schudde moedeloos haar hoofd.

„Hav... juffrouw... Wat er vandaag met jou aan de hand is, weet ik niet."

Daarna ging ze weg, en Rasmus wist dat hij verloren was. Niets kon hem meer redden; deze keer was het werkelijk helemaal zeker. Hij zou slaag krijgen met een Spaans rietje, en hij vond zelf dat hij het verdiend had. Ongestraft mocht je op één dag niet zoveel stommiteiten begaan.

„Ach, ze slaat heus niet hard," zei Grote-Peter troostend. „Het is niet zo erg. Sta er maar niet zo beteuterd bij."

Maar Rasmus had nog nooit in zijn leven een Spaans rietje gevoeld, en hij wist dat hij het niet zou kunnen verdragen. Onder geen voorwaarde zou hij het kunnen verdragen. Ach, waarom zat hij toch niet in het rijtuig naast de vrouw van de koopman, en reed hij weg van Zuiderveld! Goed beschouwd was er maar één ding dat hij kon doen – hij moest ervandoor gaan. Hij kon onmogelijk een hele nacht in zijn bed liggen terwijl hij wist dat hij de volgende ochtend vroeg naar juffrouw Haviks zou moeten gaan om zijn klappen in ontvangst te nemen. Maar alleen kon hij echt niet gaan, Gunnar moest meegaan... hij móést! Rasmus zou met hem gaan praten, hem bidden en smeken dat hij met hem meeging. Hij mocht geen ogenblik meer verliezen. Over een paar uur moesten ze weg. De lange dag was afgelopen. Het was nu tijd om naar bed te gaan, maar ze teutten allemaal zo lang mogelijk. Omdat de Havik weg was had tante Olga vanavond de wacht. Voor haar hadden de kinderen geen respect.

De meisjes gingen nog wel gehoorzaam naar bed wanneer ze ze riep, maar de jongens moest ze voor zich uitdrijven als een kudde onwillige kalveren. Niemand had zin om naar bed te gaan op zo'n heerlijke, lichte zomeravond.

Rasmus bleef steeds heel dicht bij Gunnar, en terwijl ze zich uitkleedden fluisterde hij tegen hem: „Gunnar, ik ga er in ieder geval vannacht vandoor. Je kúnt toch wel meegaan!"

Maar Gunnar gaf hem boos een stomp.

„Zeg niet zulke nonsens! Waarom zou je ervandoor gaan?"

Zelfs aan Gunnar wilde hij niet bekennen dat het Spaanse rietje hem op de vlucht joeg.

„Ik heb genoeg van dit oude kindertehuis," zei hij. „Ik denk dat ik maar eens een ander onderdak ga zoeken."

„Zo, nou, ga er dan maar vandoor," zei Gunnar onbekommerd. „Maar ik vind het zielig voor je als je weer terugkomt."

„Ik kom niet meer terug."

Het klonk meer dan verschrikkelijk. Rasmus huiverde zelf toen hij het zei. Hij had van kindsbeen af op Zuiderveld gewoond. Hij herinnerde zich geen ander thuis, en geen andere moeder dan juffrouw Haviks. Het was eigenlijk een vreselijk idee dat hij voor altijd zou verdwijnen. En vreemd was het eigenlijk ook dat hij de Havik nooit meer terug zou zien. Niet omdat hij iets om haar gaf, maar toch...

Toen Rasmus op een avond, een paar jaar geleden, oorpijn had, had ze hem op schoot genomen. Hij had zijn pijnlijke oor tegen haar arm mogen leggen en zij had voor hem gezongen.

Hij had toen erg veel van haar gehouden, zo veel dat hij een hele tijd later nog steeds wenste dat hij weer oorpijn zou krijgen. Maar hij kreeg geen oorpijn meer en juffrouw Haviks had zich nooit meer om hem bekommerd. En ze had hem nooit geaaid wanneer ze 's avonds langs de bedden liep. En nu zou ze hem gaan slaan. Het was niet meer dan haar verdiende loon dat hij er nu vandoor ging.

Maar toch... het was een afschuwelijk idee om te zeggen: 'Ik kom nooit meer terug.'

En dan was Gunnar er nog. Als Gunnar niet meeging, dan zou hij hem ook nooit meer zien. Dat zou nog het ergste van alles zijn.

Stel je eens voor dat hij Gunnar, zijn beste vriend, nooit meer zou zien! Hun bedden stonden naast elkaar in de slaapzaal, ze zaten op school in dezelfde bank. En eens hadden ze zelfs een plechtig vriendschapsverbond gesloten: ze hadden zich achter het kippenhok in de arm gesneden zodat het bloedde, en daarna hun bloed gemengd.

En nu wou Gunnar niet meegaan; Rasmus was er bijna boos om.

„Ben je werkelijk van plan om hier op Zuiderveld rond te blijven lopen tot je een ons weegt?"

„Daar moeten we maar eens over praten als je weer terug bent."

„Ik kom niet meer terug," verzekerde Rasmus hem, en hij beefde weer een beetje toen hij het zei.

Het was die avond stormachtig op de slaapzaal. De Havik was immers op koffievisite, en tante Olga kon je gerust ringeloren, zei Grote-Peter. Dit was nu eens een avond waarop je fijn kon stoeien en vechten en lawaai maken, net zo lang tot tante Olga pioenrood van woede naar boven kwam hollen om te zeggen dat ze alles aan juffrouw Haviks zou vertellen. Dan werd het pas tijd om naar bed te gaan. Maar stil zijn en slapen hoefde je nog niet.

„Ik ben een prins van den bloede," begon Albin in zijn hoek rond te bazuinen; daarover had hij het altijd weer. 'Prins Albin van den Bloede', noemden ze hem. Hij beweerde dat zijn vader verwant was aan het Koninklijk Huis en dat hijzelf louter door een vergissing op Zuiderveld terecht was gekomen.

„Dat was in de tijd dat ik een klein mooi kindje was," zei Albin. „Maar als ik groot ben zal ik mijn vader opzoeken, en dan zullen jullie eens wat zien! Degenen die aardig tegen mij geweest zijn krijgen dan wat moois van me, veel moois."

„Bedankt, uwe Majesteit," zei Grote-Peter. „Vertel maar eens wat we allemaal krijgen!"

Dit spelletje kwam steeds weer terug. Behalve Albin zelf geloofde niemand dat hij een prins van den bloede was. Evenmin geloofde iemand dat Albin ooit meer dan een stuivertje weg zou kunnen geven. Maar ze verlangden allemaal vurig naar 'dingen' die ze nooit bezeten hadden en nooit zouden krijgen. Daarom luisterden ze allemaal gewillig wanneer Albin 's avonds in zijn bed naar links en rechts fietsen, boeken, schaatsen en leuke spelletjes uitdeelde.

Ook Rasmus vond het een enig spel. Maar vanavond had hij maar één wens – dat ze allemaal zo gauw mogelijk in zouden slapen. Het prikte in zijn hele lichaam toen hij daar zo lag. Het was alsof alle gebeurtenissen van deze dag onder zijn huid gekropen waren en hem wilden ophitsen om ervandoor te gaan. Buiten het open raam was de lichte, stille zomernacht. Daarbuiten was alles zo rustig, daar hoefde je niet bang te zijn voor Spaanse rietjes. Misschien was er ook wel ver weg een plekje dat beter was dan Zuiderveld voor jongens met steile haren.

Hij dommelde eventjes in, maar hij werd weer wakker door zijn eigen onrust en voelde dat het ogenblik nu gekomen was. Het was stil in de zaal. Alleen het gesnurk van Elof klonk, zoals altijd, boven de kalme ademhaling van de anderen uit. Voorzichtig ging Rasmus rechtop in bed zitten. Hij spiedde langs alle bedden om er zeker van te zijn dat ze allemaal ingeslapen waren.

Ja hoor, ze sliepen. Prins Albin mompelde iets in zijn slaap. Emiel lag zoals gewoonlijk rond te draaien, maar slapen, dat deden ze allemaal. Ook Gunnar. Rustig en vredig lag hij te slapen, met zijn ruige hoofd op het kussen, zonder zich er iets van aan te trekken dat vannacht zijn beste vriend voor eeuwig uit het kindertehuis Zuiderveld zou verdwijnen.

Rasmus zuchtte.

Wat zou Gunnar verdrietig worden wanneer hij morgenochtend bij het wakker worden zou zien dat Rasmus werkelijk weg was. Gunnar zou heus niet zo rustig gezegd hebben 'ga jij maar', als hij er een flauw vermoeden van gehad had dat Rasmus echt weg wou gaan. Hij begreep niet dat je móést vluchten als je slaag met een rietje verwachtte. Rasmus zuchtte nog eens. De andere jongens vonden dat rietje helemaal niet erg. Hij was de enige die liever wilde sterven dan slaag krijgen.

Zo zacht mogelijk kroop hij zijn bed uit en geruisloos trok hij zijn kleren aan. Zijn hart bonkte zo gek. En hij had ook zo'n raar gevoel in zijn benen, net alsof ze niet wilden vluchten, zo trilden ze. Hij stak zijn hand in zijn broekzak. Daar voelde hij de schelp en de stuiver. Vijf cent was geen groot kapitaal om mee de wereld in te trekken, maar in geval van hongersnood konden ze zijn redding zijn. Een paar broodjes en een beetje melk kon hij er altijd wel voor krijgen. De schelp, die alleen maar mooi was om naar te kijken en prettig om aan te raken, zou hij voor Gunnar achterlaten. Als herinnering aan zijn jeugdvriend, die hij voor altijd verloren had. Rasmus zou er de volgende ochtend niet meer zijn, maar op de rand van zijn bed zou een mooie schelp liggen.

Rasmus slikte een paar maal, en legde de schelp op de rand van zijn bed. Een poosje stond hij te vechten tegen zijn tranen, terwijl hij naar Gunnars diepe ademhaling luisterde. Toen bracht hij zijn hand naar het hoofd op het kussen, en met een vieze, ruwe wijsvinger streek hij voorzichtig over het weerbarstige haar van Gunnar. Hij aaide hem niet echt, hij wilde zijn allerbeste vriend alleen maar even aanraken, omdat hij het nooit meer zou kunnen doen.

„Dag Gunnar," zei hij zachtjes. Toen sloop hij naar de deur. Hij bleef even staan en luisterde met bonzend hart. Hij maakte de deur open met een hand, koud van het zweet, en haatte de deur omdat die zo onvergeeflijk kraakte. De trap naar de keuken kraakte ook. En als hij nu de Havik eens zou tegenkomen, wat zou hij dan zeggen? Dat hij pijn in zijn buik had en even naar buiten moest? Nee, dat kon hij niet zeggen tegen de Havik.

Hij moest proberen iets eetbaars mee te nemen. Hij probeerde de deur van de provisiekast. Die was op slot. Ook de broodtrommels in de keuken waren jammer genoeg leeg. Hij vond alleen maar een stukje beschuit, dat hij in zijn zak stopte.

Nu was hij klaar om weg te gaan. Het keukenraam stond open. Hij hoefde alleen maar op de tafel te klimmen, die ervoor geschoven stond, en dan zou hij met een sprong zijn vrijheid tegemoet gaan.

Maar juist op dat ogenblik hoorde hij stappen op het grind. Stappen die hem heel bekend voorkwamen. Het was de Havik, die van haar visite bij de dominee thuiskwam.

Rasmus voelde hoe zijn benen begonnen te beven. Nu was hij verloren. Als de Havik door de keuken naar binnen ging, dan was hij hopeloos verloren. Er was immers geen enkele reden voor te bedenken waarom je om elf uur 's avonds in de keuken zou zitten.

Hij luisterde, koud van schrik. Misschien, heel misschien zou ze door de veranda naar binnen gaan... Als ze dat maar deed... Nu hoorde hij de stappen in de bijkeuken, nu pakte iemand de deurknop... Razendsnel sprong hij op en schoot onder het klaptafeltje. Hij rukte en trok aan het zeil, om zich zo goed mogelijk te kunnen verbergen. Een seconde later stond juffrouw Haviks in de keuken. Nu dacht Rasmus werkelijk dat zijn laatste uur geslagen had. Hij was zo verschrikkelijk bang, dat zijn hart van het bonzen haast uit elkaar sprong.

Ieder hoekje van de ouderwetse keuken was duidelijk te zien in de lichte zomernacht. Juffrouw Haviks hoefde maar een klein eindje de andere kant op te kijken om Rasmus als een verschrikt konijn onder de klaptafel te zien zitten.

Maar juffrouw Haviks had kennelijk iets anders aan haar hoofd. Midden in de keuken stond ze stil in zichzelf te mompelen.

„Zorgen... zorgen," mompelde ze. „Niets anders dan zorgen!"

Ook al was Rasmus nog zo bang, hij vroeg zich toch wel af wat de Havik eigenlijk met dat gemompel bedoelde. Wat zou ze voor zorgen hebben? Dat hij dat nou nooit te weten zou komen! Want zoals zij daar nu haar hoedenpen uit haar hoed stond te trekken zag hij haar voor de allerlaatste maal. Dat hoopte hij tenminste. Met een diepe zucht verdween juffrouw Haviks uit de keuken. En het zachte klapje waarmee de deur achter haar dichtviel was het heerlijkste geluid dat Rasmus ooit gehoord had.

Stil bleef hij nog even onder de tafel gespannen zitten luisteren. Een paar angstige seconden bleef hij nog zitten wachten – toen klom hij zo vlug hij kon op de vensterbank en sprong het raam uit.

Met een plof kwam hij op het gras terecht, dat nat was van de dauwdruppels, en dat onder zijn blote voeten koud aanvoelde. Ook de avondlucht was kil, maar prettig om in te ademen. Het was de lucht van de vrijheid. Ja, hij was vrij, hij was werkelijk helemaal vrij!

Maar hij had te vroeg gejubeld. Opnieuw maakte een geluid hem waanzinnig van angst. Op de bovenverdieping werd plotseling het raam van de Havik opengemaakt. Hij hoorde de haak knarsen, en zag de Havik groot en zwart naar hem staren. Wanhopig perste hij zich tegen de stam van een appelboom, alsof hij erin wou verdwijnen. Hij hield zijn adem in en wachtte.

„Is daar iemand?" riep de Havik zachtjes. Een rilling ging door hem heen bij het geluid van die zo bekende stem. Hij begreep dat het voor hem het beste zou zijn te antwoorden voordat zij hem zou ontdekken. Door te zwijgen zou hij de zaak alleen maar erger maken. Maar hij kon geen woord over zijn trillende lippen krijgen; hij kon alleen maar angstig naar de donkere gestalte in de raamopening staren. Hij dacht dat ze hem pal in het gezicht keek en verwachtte niets anders dan dat ze nu zijn naam zou roepen.

Gek genoeg deed ze dat niet eens. Plotseling sloot ze het raam en verdween in de kamer.

Rasmus zuchtte van verlichting. Vaag zag hij haar daarbinnen rondlopen. Nu stak ze het licht aan, en in het flikkerende schijnsel zag hij haar schaduw tegen de muur met het blauwgebloemde behangsel en de foto van de koninklijke familie. Wat raar dat hij die foto nu nooit meer zou zien, en ook niet het schilderij van Jezus voor Pilatus, dat aan de andere wand hing. Eigenlijk was het jammer, want het was altijd zo leuk geweest om naar de platen te kijken, als hij eens een enkel keertje in de kamer van de Havik kwam. Maar ja, dat was nu afgelopen en morgenochtend zou hij er gelukkig niet zijn, al waren de koninklijke familie en Pilatus ook nog zo mooi.

Hij wilde erg graag weg komen, maar zolang die schaduw daarboven langs de wanden speelde, kon hij zich niet losrukken. Wat was het griezelig en spannend om hierbuiten naar de Havik te staan kijken, zonder dat ze het zelf wist.

'Gegroet, juf,' dacht hij bij zichzelf. 'Je had me best 's avonds wat vaker mogen aaien, dan was ik wel gebleven. Maar gegroet hoor, nu zie je eens hoe het kan aflopen.'

Misschien hoorde de Havik wel wat hij dacht. Want nu trok ze het rolgordijn naar beneden, net alsof ze hem groette. Alsof ze het hele kindertehuis Zuiderveld voor hem afsloot, en hem alleen in de nacht achterliet.

Hij bleef nog even staan in de schaduw van de appelboom om het oude huis dat zijn thuis was geweest nog eens goed te bekijken. Het was een oud, wit huis, en wat was het 's nachts mooi, met de donkere ramen en de lommerrijke bomen eromheen.

Rasmus vond het tenminste heel mooi. Al zei tante Olga ook altijd dat het een afschuwelijk, naar kraaiennest was, dat je net zo goed niet schoon kon maken. Er waren zeker betere huizen op de wereld. Hij hoefde heus niet bedroefd te zijn dat hij wegging. Hij zou wel een goed plekje vinden – er waren toch meer lieve mevrouwen.

Hij rende. Rende over het natte gras, rende tussen de appelbomen door en sprong op het hek af. Daarbuiten kronkelde zich de grote weg. Als een grauwe band lag de weg in de zomernacht.

4

'Ik ben niet bang alleen in het bos' – dat stond in een versje dat de juffrouw op school had voorgelezen. Dat versje ging ook over een jongen die 's avonds alleen buiten was. En hij hoefde toch echt niet voor die jongen onder te doen. Maar het was zo griezelig om alleen te zijn, omdat hij er helemaal niet aan gewend was. In het kindertehuis waren er altijd mensen om je heen, en als je daar alleen wou zijn, dan moest je op de wc gaan zitten, of in een boom klimmen. In Zuiderveld kon je echt verlangen naar eenzaamheid.

Maar nu was Rasmus eenzaam in de zomernacht, en dat was heel iets anders. Zoiets stils en rustigs als deze kille, windstille nacht, met bleke sterren aan de hemel, had hij nog nooit meegemaakt; hij werd bang.

Hij werd bang door de stilte en de wonderlijke schemering, waardoor alles er zo onwerkelijk uit kwam te zien. Alleen in zijn droom had hij wel eens een landschap in zo'n licht zien baden, maar hij had niet geweten dat een zomernacht er net zo uitzag.

Angstig en verkleumd holde hij langs de weg, holde hij zo hard hij kon. Zijn blote voeten tikten op de grond. Hij had haast. De straatweg was gevaarlijk, want daar kon je mensen tegenkomen die begrepen dat je ervandoor gegaan was. Maar gelukkig was er een zijpad, tussen de velden door. En dat voerde hem zeker ook de wijde wereld in.

Het was een klein, smal kronkelweggetje waar 's winters alleen maar ladingen hout langs vervoerd werden, en waar 's zomers, als de koeien in de wei waren, melkwagens langsreden. Daar hoefde je helemaal niet bang te zijn om iemand te ontmoeten die zich afvroeg wat je zo alleen uitspookte midden in de nacht. Toch aarzelde hij even bij de zijweg. Het zag er zo spookachtig uit daar tussen de bosjes. En de populieren zuchtten zo droevig, hoewel er geen wind te bekennen was. Hoe deden die populieren dat, en waarom klonk het zo naar?

'Ik ben niet bang alleen in het bos' – nee, maar was Gunnar er maar bij geweest! Als hij nu toch eens iemand een hand kon geven! De schaduwen waren zo lang. Het leek wel alsof de hele wereld dood was. Alle vogels en beesten sliepen, en alle mensen ook, hij was de enige die hier angstig verder liep. Heel erg bang alleen in het bos, dat was hij, en hij was helemaal niet zo flink als de jongen uit het versje. 'Wat is het bos toch vreselijk groot' – dat stond ook in het versje, en dat was waar.

Hij had ook nog zo'n erge honger. Hij stak zijn hand in zijn broekzak en pakte het beschuitje. Hij at het op, maar zijn maag voelde nog precies even leeg. Hij begon zich ongerust af te vragen of er ergens wel aardige mensen zouden zijn, die een eenzame jongen wat te eten wilden geven. Ook al was die jongen om zijn steile haar niet geschikt als pleegkind. Hij had honger, en hij was moe. Hij moest proberen een plaats te vinden waar hij kon slapen. Maar nu nog niet. Nu mocht hij nog niet uitrusten. Hij moest zo ver mogelijk van Zuiderveld zijn, voordat het dag werd. Voordat er ontdekt werd dat hij niet in zijn bed lag. Wat een spektakel zou het worden wanneer ze dat ontdekten! Misschien zou de Havik wel de politie achter hem aan sturen.

Bij de gedachte alleen al begon hij harder te lopen. Met zijn handen in zijn zakken en met opgetrokken schouders draafde hij langs de weg. Hij staarde recht voor zich uit en paste wel op om opzij te kijken, waar de schaduwen woonden in het donker. Hij liep maar en liep maar, en voelde hoe moederziel alleen hij was.

De korte zomernacht wordt lang, als je buiten rondzwerft en eindeloos doorgaat totdat je je voeten niet meer van hun plaats kunt krijgen. Totdat je ogen bijna dichtvallen, en je zo slaperig bent, dat je loopt te knikkebollen. De ochtendschemering nadert, de zon werpt haar eerste stralen tussen de bomen door, maar je merkt het niet. De spinnenwebben tussen het gras glinsteren, en de waterdruppels blinken op de blaadjes, de ochtendnevel verdwijnt – niemand weet waarheen – en ergens in een berkentop heft een fris uitgeslapen lijster zijn eerste jubelzang aan. Maar je merkt het niet. Want je bent zo moe en zo slaperig. Zo onbeschrijflijk slaperig.

Maar eindelijk zie je een klein, grauw schuurtje voor je, zo'n schuurtje waar zwervers zo graag in slapen. Het staat daar midden in de wei, aanlokkelijk in al zijn grauwheid. In deze tijd van het jaar staan die schuurtjes gewoonlijk vol met hooi. Met veel moeite krijgt Rasmus de zware deur open. Daarbinnen is het donker en stil en het hooi ruikt heerlijk sterk. Met een diepe zucht die wel een snik kon zijn, valt hij neer. Hij slaapt al.

Hij werd wakker doordat hij het koud had en doordat een strootje hem op zijn neus kietelde. Met een schok zat hij overeind, zonder te begrijpen waar hij was en waarom hij hier in het hooi lag. Maar opeens kwam alles hem weer duidelijk voor de geest en een gevoel van grenzeloze eenzaamheid deed de tranen in zijn ogen springen. Hij was zo ongelukkig; vluchteling te zijn was veel erger dan hij gedacht had. Hij verlangde nu al naar Zuiderveld, naar Gunnar en naar zijn warme bed en naar de pap bij het ontbijt. Het kindertehuis werd voor hem een verloren paradijs. Je kreeg er natuurlijk wel eens op je kop, maar dat was lang zo erg niet als deze eenzaamheid, kou en honger.

Door een spleetje in de muur kroop een klein zonnestraaltje naar binnen. Gelukkig was het vandaag ook mooi weer, dan zou het tenminste niet zo ellendig koud zijn. Hij had zijn dikke trui aan en zijn doordeweekse baaien broek, die tante Olga op de knieën versteld had. Maar toch bibberde hij van de kou. Het liefst was hij weer gaan liggen slapen, maar dat kon niet, nu hij het zo koud had. Huiverend zat hij daar in het hooi; hij bekeek somber de stofjes die in de zonnestraal ronddwarrelden.

Toen hoorde hij iets. Iets verschrikkelijks, waardoor er een stekende pijn door zijn hele lichaam schoot. Er gaapte iemand vlak bij hem. Hij was niet alleen in de schuur. Er had vannacht nog iemand geslapen. Angstig spiedde hij rond om te kijken wie daar was. En toen zag hij een bruine krullende bos haar boven een korenkist uitsteken, vlak bij hem. Iemand hoestte achter de korenkist, en daar hoorde hij een stem zeggen:

O wee, dag en nacht zijn lang niet malles,
maar de ochtend is het ergst van alles!

En er dook een hoofd op vanachter de korenkist, een rond, ongeschoren gezicht met donkere baardstoppels. Een paar half dichtgeknepen ogen staarden hem verbaasd aan, en opeens kwam er een brede grijns over het ronde gezicht. Hij zag er eigenlijk helemaal niet gevaarlijk uit, die vreemde man. Opeens begon hij te grinniken en hij zei: „Môge, ventje!"

„Môge," zei Rasmus aarzelend.

„Wat zie jij er angstig uit. Denk je dat ik kinderen eet?"

Toen Rasmus niet antwoordde ging hij verder.

„Wat ben jij voor mannetje? Hoe heet je?"

„Rasmus." Het was maar een zielig stemmetje; Rasmus was eigenlijk te bang om te antwoorden en ook om het te laten.

„Rasmus... Aha, Rasmus," zei de man met de baard, terwijl hij nadenkend knikte. „Ben je van huis weggelopen?"

„Nee, niet... van huis," zei Rasmus zonder erom te jokken.

Zuiderveld was toch geen echt thuis. Hoe kon die man met de baard nu denken dat je ervandoor wou gaan als je een écht thuis had!

„Kijk niet zo angstig uit je ogen," ging de man verder. „Ik heb je toch al gezegd dat ik geen kinderen eet."

Rasmus verzamelde wat moed.

„Bent u van huis weggelopen, mijnheer?" vroeg hij voorzichtig.

De man met de baard lachte.

„Mijnheer – zie ik er soms uit als een mijnheer? Of ik van huis weggelopen ben...? Ja, ja, dat klopt als een bus." Hij begon nog harder te lachen.

„Bent u dan een landloper, mijnheer?" vroeg Rasmus.

„Zeg, hou op met dat mijnheer, alsjeblieft. Ik heet Oskar." Hij ging staan in het hooi en nu zag Rasmus pas dat hij wel een landloper moest zijn, want hij had zulke afschuwelijke kleren aan: een geruit jasje dat tot op de draad versleten was en een broek die als een zak om hem heen hing. Hij was groot en breed en zag er heel aardig uit. Als hij lachte glinsterden zijn tanden tussen zijn baardstoppels.

„Landloper zei je... Heb je wel eens van Paradijs-Oskar gehoord? Dat ben ik nou. De landloper van het paradijs en de Geluksvogel, dat ben ik."

De Geluksvogel! Rasmus begon zich af te vragen of die man wel bij zijn verstand was.

„Waarom ben jij een geluksvogel, Oskar?" vroeg hij.

„Dat moet toch iemand zijn. Er moet toch ook iemand zijn die aan het zwerven gaat en die een geluksvogel is. God wil dat er geluksvogels zijn."

„Wil Hij dat?" vroeg Rasmus wantrouwend.

„Dat wil Hij," verzekerde Oskar hem. „Als Hij zoveel moeite heeft genomen om de hele wereld in elkaar te flansen, dan wil Hij ook dat alles er is, begrijp je dat? En hoe zou het eruitzien als alles er was, behalve nou net de landlopers?" Oskar knikte tevreden.

Een geluksvogel, nou en of!

Toen graaide hij met zijn vuist in een rugzak, die naast hem in het hooi lag, en haalde een pakje te voorschijn in krantenpapier.

„Zo, nu moeten we maar eens gaan ontbijten. Dat zal smaken."

Toen hij dat zei voelde Rasmus dat zijn maag van de honger samenkromp. Hij had zo'n honger, dat hij in staat was om als een koe hooi te gaan eten.

„Ik geloof dat ik hierbuiten nog een fles melk heb staan," ging Oskar verder.

Met een sprong was hij bij de deur, die hij moeilijk open kon krijgen, en die knarste in zijn scharnieren.

Oskar duwde hem helemaal open en een brede streep zonneschijn stroomde naar binnen. Hij rekte zich behaaglijk uit in de zon. En toen verdween hij om de hoek, om gauw weer terug te komen met een grote fles melk in zijn hand.

„Zoals ik al zei, een ontbijtje zal smaken," zei Oskar, terwijl hij zich in het hooi installeerde. Hij maakte het krantenpapier open en haalde een paar dikke pillen van boterhammen te voorschijn. Onder een tevreden geknor zette hij zijn tanden erin. Rasmus zag dat er spek op zat, en spek vond hij het lekkerste wat er bestond.

Oskar vond het ook wel lekker. Hij kauwde, keek met een verliefde blik naar de boterham, en nam zijn volgende hap. Rasmus werd bleek om zijn neus van de honger. Hij probeerde een andere kant op te kijken, maar het lukte hem niet. Onverbiddelijk werden zijn ogen naar de boterham getrokken, en hij voelde hoe het water hem in de mond liep.

Oskar hield op met kauwen. Hij hield zijn hoofd wat scheef en keek Rasmus plagerig aan.

„Jij lust zeker geen eenvoudig stuk brood met spek. Zulke jochies als jij eten 's morgens vast alleen maar pap met rozijnen! Nee, zo'n stuk brood van mij wil jij vast niet hebben! Zou je daar nou echt niet van smullen, als ik je er een aanbood?"

„Ja, graag," zei Rasmus al slikkend. „Graag, als ik mag."

Zonder een woord gaf Oskar hem een boterham. Een heerlijke dikke, grote boterham, met twee dikke stukken spek erop. Meteen nam Rasmus een hap... o, wat lekker, dat spek en dat roggebrood! Met dichte ogen smulde hij.

„Melk," zei Oskar, en toen pas opende hij zijn ogen. Oskar gaf hem een grote mok, die tot aan de rand toe gevuld was, en Rasmus dronk met grote teugen. Zijn buik werd er koud van en hij kreeg het nog kouder dan tevoren, maar het gaf allemaal niet. Tot de laatste druppel dronk hij de mok leeg.

„Meer boterhammen," zei Oskar, nog een dikke pil naar hem toe schuivend.

„Mag ik... Kan dat zomaar?"

„Ja natuurlijk," zei Oskar. „Niet alle boerinnen zijn gierig. Dat mens van deze boterhammen wist zeker dat ik jou zou ontmoeten."

Ze zaten zwijgzaam in het hooi te eten en te kauwen, totdat er geen kruimeltje meer over was. Ze dronken alle melk op en Rasmus merkte dat zijn buik steeds kouder werd.

„Dank je wel," zei hij bibberend, maar verzadigd. „Ik heb nog nooit zo lekker gegeten."

„Maar je ziet helemaal blauw," zei Oskar. „Zorg maar dat je gauw hiervandaan komt, en weer een beetje warm wordt."

Oskar stond op en pakte zijn rugzak. Hij liep naar de deur. Rasmus zag zijn grote, brede gestalte in de deuropening staan en bedacht op dat ogenblik dat Oskar nu wel eens kon verdwijnen. Wat een vreselijke gedachte! Oskar mocht nu niet weggaan en hem alleen achterlaten.

„Oskar," zei hij, zo verschrikt dat hij nauwelijks een woord over zijn lippen kon krijgen. „Oskar, ik zou ook zo graag een paradijs-landloper willen worden."

Oskar draaide zich om en keek hem aan.

„Nee, zulke jochies als jij moeten niet gaan zwerven. Die moeten thuis bij vader en moeder blijven."

„Ik heb geen vader en moeder," zei Rasmus. O, kon Oskar dan niet begrijpen hoe alleen hij was! En kon hij zich niet over hem ontfermen! Hij schoot te voorschijn uit het hooi en snelde de landloper achterna. „Ik heb geen vader en geen moeder, maar ik ben ze aan het zoeken." Hij pakte gretig de hand van Oskar beet.

„Mag ik dan niet met je meegaan terwijl ik aan het zoeken ben?"

„Wat ben je aan het zoeken?" vroeg Oskar.

„Iemand die me wil hebben," zei Rasmus. „Geloof jij dan niet dat er in ieder geval één is die een jongen met steil haar wil hebben?"

Oskar keek stomverbaasd naar het magere gezicht met sproeten, dat zo vol verlangen op hem was gericht.

„Ja," zei hij, „er zijn natuurlijk wel mensen die een jongen met steil haar willen hebben. De hoofdzaak is toch dat de jongen rechtdoorzee is."

„Ja, rechtdoorzee ben ik," verzekerde Rasmus hem. „Tenminste, tamelijk..." voegde hij eraan toe. Misschien was je niet zo helemaal rechtdoorzee als je uit een kindertehuis ontsnapt was.

Oskar keek hem streng aan. „Ja... nu mag je mij eens precies vertellen waar je vandaan komt."

Rasmus sloeg zijn ogen neer, en groef verlegen met zijn grote teen een kuiltje in de grond. „Uit Zuiderveld... uit het kindertehuis. Maar ik wil niet meer terug," zei hij nadrukkelijk, en was alweer vergeten dat hij nog maar pasgeleden verschrikkelijke heimwee had. Nu wist hij alleen maar dat hij met Oskar mee wou, terwijl hij hem nog niet eens een uur kende.

„Waarom ben je weggelopen?" vroeg Oskar. „Had je iets verkeerds gedaan?"

Het kuiltje in de grond werd steeds groter.

„Ja," zei hij, „ik heb water over juffrouw Haviks gegooid."

Oskar begon te lachen, maar werd gauw weer ernstig.

„Dus je bent niet zo'n ventje dat zijn vingers niet thuis kan houden? Je hebt niets gestolen?"

„Ja," zei Rasmus schuldbewust.

„Dan kun je mijn makker niet worden. Als iemand die steelt uit zwerven gaat, dan is het met hem gedaan. Dan ben je erbij voordat je het weet. Nee hoor, dan kan ik je niet als makker gebruiken."

Wanhopig greep Rasmus hem vast.

„Lieve, lieve Oskar..."

„Dat 'lieve' helpt geen steek," zei Oskar. „Wat heb je gestolen?"

Weer begon Rasmus met zijn grote teen te graven.

„Een beschuit," zei hij zachtjes. „Toen ik wou vluchten... om iets te eten te hebben."

„Een beschuit?" Oskar liet grijnzend zijn tanden zien. „Een beschuit telt niet."

Rasmus voelde zich weer tien pond lichter.

„Kun je dan toch zo'n geluksvogel zijn?"

„Ja, zo is het nu ook weer niet," verzekerde Oskar hem.

„Mag ik dan je makker worden?"

„Hmm," zei Oskar, „ga maar met me mee, dan kunnen we zien of we het met elkaar uithouden."

„Dank je wel, lieve Oskar, ik hou het al uit."

En zo begon de zwerftocht. De zon stond nog laag aan de hemel. Zo langzamerhand brak de dag aan in het dorp. Heel in de verte hoorden ze een haan kraaien. Ergens blafte een hond, en op de weg reed knarsend en piepend een lege hooiwagen, getrokken door twee magere paarden. Een slaperige knecht stond rechtovereind de paarden te mennen.

„Zullen we hem roepen en vragen of we mee mogen rijden?" stelde Rasmus voor.

„Jij houdt je mond dicht. Hou je voorlopig maar een beetje verborgen. Je weet nooit of juffrouw Haviks niet zo gek op je is dat ze je met alle macht probeert terug te krijgen."

„Denk je dat ze dat doet?" vroeg Rasmus, bibberend van schrik en angst.

„Nou, ze wacht nog wel een paar dagen. Eerst wil ze natuurlijk zien of je terugkomt als je honger krijgt."

„Maar dat doe ik niet," zei Rasmus, en toen gaapte hij. „Ik heb vannacht haast niet geslapen, zie je," zei hij verontschuldigend. Hij was nog steeds moe en slaperig, maar voor geen geld wilde hij Oskar tot last zijn, die onbezorgd met grote stappen voort marcheerde.

„Aha, dus je bent slaperig?" Onderzoekend bekeek Oskar het doodvermoeide, half bevroren stukje mens, dat op een sukkeldrafje naast hem voortholde, om hem bij te houden.

„Kom, laten we dan maar een plekje zoeken waar je warm kunt worden en wat kunt slapen."

„Je kunt toch niet midden op de dag gaan slapen!" zei Rasmus stomverbaasd. „Ik ben net opgestaan."

„Landlopers kunnen het best," zei Oskar.

Toen pas begreep Rasmus wat het eigenlijk betekende om landloper te zijn. In een flits van een ogenblik werd het wonderbaarlijke van dit nieuwe leven hem opeens helemaal duidelijk. Je kon net doen waar je zin in had.

Je kon slapen, eten en zwerven, precies zoals het uitkwam. Je was zo vrij als een vogeltje in de lucht.

Helemaal in de war van zijn ontdekking, draafde hij naast Oskar voort. Hij voelde zich al landloper, hij zag de wereld al met de ogen van een landloper. Hij zag de weg, die door het landschap golfde en die achter iedere bocht een nieuw geheim verscholen hield. Hij zag de groene weiden, waar de koeien rustig in de ochtendzon stonden te herkauwen. Hij zag de rode boerderijtjes, waar flinke meiden de melkemmers stonden te schuren en waar knechten water pompten in de drinkbakken van de paarden.

De jonge beesten gingen tekeer in de stallen, waakhonden rukten al blaffend aan hun kettingen en een paar eenzame koeien stonden in de schuur te loeien. Dit alles zag en hoorde hij zoals een landloper het ziet en hoort. Naast hem stapte Oskar neuriënd voort. Opeens verdween hij de bosjes in en bleef hij staan op een zonnige plek tussen een paar hoge struiken.

„Hier kun je lekker bijkomen," zei Oskar. „Een stralende zon, geen sprankje wind, en geen levende ziel kan je van de weg af zien."

Rasmus gaapte, maar een onaangename gedachte onderbrak zijn geeuw.

„Oskar, het is toch wel zeker dat je niet van me weggaat als ik slaap?"

Oskar schudde zijn hoofd.

„Slaap maar rustig," zei hij alleen maar.

Rasmus tuimelde op de grond. Hij lag op zijn buik, met zijn neus in zijn arm geboord. De zon verwarmde hem zo heerlijk. Hij voelde zich helemaal doezelig. Half in slaap merkte hij dat Oskar zijn jasje over hem uitspreidde. Nu had hij het niet meer koud.

Hij lag op een tapijt van tijm en hij rook de kruidige lucht. De jeneverbessen roken ook zo heerlijk nu de zon erop scheen. Het rook naar de zomer. Ja, zo lang hij leefde zou de geur van tijm en jeneverbessen voor hem betekenen dat het zomer was en dat hij zou zwerven over de wegen. Een hommel zoemde boven zijn hoofd en met moeite keek hij er met één oog naar. Toen zag hij Oskar zitten kauwen op een grasprietje.

En daarna sliep hij in.

5

„Mevrouw, hebt u iets te eten voor mijn kameraad en mij?" Oskar stond met zijn pet in zijn hand beleefd te buigen, op de drempel van de keukendeur.

„Is Paradijs-Oskar nu alweer aan het zwerven?" zei de boerin, met afkeuring in haar stem. „Het is nog maar heel kortgeleden dat ik je een grote bal gehakt gaf."

„Ja, dat kan wel," zei Oskar. „Maar gek genoeg heb ik dat ding overleefd."

Rasmus stond stilletjes te grijnzen en ook hij kreeg een afkeurende blik van de boerin.

„Wat heb je daar voor kwajongen bij je?"

„Och, dat is een zielig kereltje, over wie ik me ontfermd heb," zei Oskar ernstig. „We zoeken een goed onderdak voor hem. Hebt u geen behoefte aan een pittig jochie in huis?"

„Nee."

Met een gootsteendweiltje veegde de boerin ruw de broodkorsten, de aardappelschillen en de melkresten van de tafel.

Het straalde van haar af dat ze een hekel had aan landlopers en Rasmus wou eigenlijk maar weer gauw weggaan. Maar dit was de eerste boerenkeuken die hij te zien kreeg, en daarom moest hij van de gelegenheid gebruikmaken om eens goed rond te kijken. Het rook er lang zo lekker niet als in de keuken van Zuiderveld. Hier stonk het naar veevoer, dat in de emmers bij het aanrecht zat, en naar smerige dweilen, en naar nog andere dingen, waarvan hij de lucht niet thuis kon brengen. Wat kwam het goed uit dat ze hem op deze boerderij niet wilden hebben! Hij had hier nooit willen blijven. Ze hadden trouwens al kinderen, een hele rij pappig bleke kinderen, die hem allemaal doodstil aanstaarden – het kwam werkelijk heel goed uit. „Hak eerst maar eens wat hout voor me, daarna krijg je wel wat te eten," zei de boerin onwillig.

Oskar hield zijn hoofd wat scheef en probeerde haar met zijn blik te vermurwen.

„Hout hakken? Mag ik in de plaats daarvan geen tierelied spelen?"

„Nee dank je, ik ben helemaal niet gediend van jouw tierelied," verzekerde de boerin hem, maar haar gezicht klaarde een beetje op.

Oskar zuchtte diep.

„Ja, ja," zei hij, bedroefd knikkend, „hout hakken... en dat terwijl je niet het minste kwaad vermoedt. Mag ik eerst het menu even zien?"

„De schuur in, en geen gebazel," zei de boerin, veel minder boos dan tevoren.

Oskar en Rasmus grepen haastig de deur.

„Hoe kun je nou weten waar de schuur is?" vroeg Rasmus.

„O, die kan ik in het donker wel vinden als het nodig is," zei Oskar. „Ik krijg altijd een onaangenaam gevoel in mijn lichaam als ik in de buurt van een houtschuur kom en dan zeg ik tegen mezelf: 'Daar heb je hem.' En ik verzeker je dat je er dan bent."

Hij ging een klein schuurtje binnen en dat was onmiskenbaar de houtschuur. Hij pakte de bijl, die in het hakblok stak, en begon te kloven. Handig en vlug hakte hij geweldig grote houtblokken in kleine stukken; de splinters vlogen door de lucht.

Rasmus legde alles in een wagentje dat kennelijk bij het houthakken gebruikt werd.

„Wat kun jij goed hakken," zei Rasmus. „Maar je bent wel een echte luilak, Oskar!"

Oskar was het roerend met hem eens.

„Ja, als het op werken aankomt, ben ik met weinig tevreden."

„Maar heeft nog nooit iemand jou echt werk willen geven?"

„Ja, dat is wel eens gebeurd. In het algemeen zijn de mensen wel aardig tegen me," zei Oskar. Peinzend ging hij verder. „Je moet weten dat het met mij zo gesteld is, dat ik soms wil werken, en dan geef ik hem er ook van langs. Maar soms wil ik helemaal niet werken. De mensen menen dat je altijd moet werken, en dat idee kan ik maar niet in mijn arme hoofd stampen."

„Dat kon ik ook niet in mijn arme hoofd stampen toen ik in Zuiderveld was," gaf Rasmus te kennen.

De wagen was nu volgeladen en Oskar hield op met hakken. Hij had zijn rugzak bij de deur gezet en nu diepte hij er een trekharmonica uit op, keurig ingepakt in een stuk rood vilt.

„En nu mijn tierelied, dat boerenmens mag kletsen wat ze wil."

Hij voelde even aan de toetsen, en er klonken een paar zuchtende tonen. Maar toen begon hij pas echt, en de heerlijkste muziek die Rasmus ooit gehoord had weerklonk door de schuur.

Haar haar is zo zwart als de zwartste nacht.
Is het gek dat ik steeds weer op haar wacht?

zong Oskar met een diepe, warme stem, die Rasmus rillingen van welbehagen over zijn rug joeg. Dit was nog eens iets anders dan het duffe orgelspel van juffrouw Haviks. Rasmus ging erbij zitten op het houtblok; hij genoot in stilte.

De bleke kinderen kwamen opeens te voorschijn maar ze bleven op een behoorlijke afstand stil staan staren.

De boerin moest toevallig net op het rabarberveldje ernaast zijn. Alsof ze niets zag of hoorde brak ze energiek de rabarberstelen af.

Maar toen Oskar klaar was met zingen kwam ze naar hem toe en zei bijna vriendelijk: „Het eten is klaar."

Warme aardappelen met panharing, dat kreeg je niet iedere dag.

Oskar ging aan de keukentafel zitten en sloeg zich tevreden op de knieën. Rasmus was precies even blij. Sinds hij uit Zuiderveld ontsnapt was had hij nog geen warm eten gehad, en de lucht van aardappelen en uien deed het water in zijn mond lopen. De boerin legde gul vijf grote aardappelen en bijna een hele panharing op zijn bord, en hij begon haar echt aardig te vinden. Alleen keek ze hem zo onderzoekend aan terwijl hij zat te eten. Ten slotte zei ze: „Die jongen is toch te klein om zo rond te zwerven, vind je niet, Oskar?'

Oskar had zijn mond zo volgepropt, dat hij nauwelijks antwoord kon geven.

„Jazeker," zei hij. „Maar zo lang zal het nu ook weer niet duren. Hij is op weg naar zijn vader en moeder."

Dat was waar, dacht Rasmus. Zo gauw als hij iemand zou vinden die hem wou hebben zou hij niet langer zwerven. Maar er was helemaal geen haast, nu had hij helemaal geen haast meer om een vader en een moeder te vinden. Eerst zou hij maar eens goed rondkijken; het was ook zo leuk om met Oskar landloper te zijn. Voor niets ter wereld zou hij nu al van hem willen scheiden. Maar misschien vond Oskar het wel lastig om hem steeds op sleeptouw te nemen? Misschien hoopte hij maar zo gauw mogelijk een paar ouders voor hem te vinden?

Toen ze weer buiten waren, vroeg hij het hem.

„Wil je me kwijt, Oskar?"

Oskar marcheerde al weer met grote stappen voort.

„Als ik je kwijt wil, dan zal ik het wel zeggen," zei hij.

Bepaald geruststellend was dit antwoord niet. Stel je eens voor dat Oskar het zou zeggen voordat hij zijn nieuwe huis gevonden had! Wat zou hij dan in vredesnaam moeten doen? Een enkele nacht had hij ondervonden wat het betekende om alleen te zijn, en nooit van zijn leven wou hij dat nog eens meemaken. Hij wierp een vluchtige blik op Oskar. O, wat zou hij aardig zijn, wat zou hij zijn best doen hem niet tot last te zijn, om te voorkomen dat Oskar genoeg van hem zou krijgen!

„Oskar, ik kan best mijn trui zelf dragen," zei hij vol enthousiasme.

Maar Oskar vond het helemaal geen goed idee.

„Wat doet dat er nou toe, in mijn rugzak voel ik hem niet eens."

Oskar zette er een stevige pas in en Rasmus deed zijn uiterste best hem bij te houden.

„Vind je het goed dat ik je een hand geef, Oskar?" vroeg hij buiten adem, toen hij echt niet meer kon. Oskar bleef staan, en bekeek hem van top tot teen.

„Graag," zei hij, „doe dat maar, geef me maar een hand, zodat ik niet achterblijf."

Rasmus stopte zijn hand in die van Oskar en in een rustiger tempo zetten ze de tocht voort.

„Ik ben er nog niet zo aan gewend," mompelde Rasmus verontschuldigend. Hij begreep best dat Oskar om hem langzamer liep.

„Nee, natuurlijk niet, landloper ben je niet zomaar," gaf Oskar toe. En hij liet Rasmus zien hoe je moest lopen, hoe je zonder ophouden in een gelijkmatig sukkeldrafje over de weg voort moest sjokken.

„Maar we hoeven ons helemaal niet te haasten, alsof we voor de avond aan het einde van de wereld moeten zijn," zei Oskar. „Morgen komt er weer een dag."

Rasmus was Oskar werkelijk innig dankbaar, omdat hij zo aardig tegen hem was. Op de een of andere manier wilde hij hem daarvoor belonen, echt iets voor hem opofferen, of hem iets geven, zodat Oskar begreep hoeveel hij om hem gaf, zonder dat hij dat hoefde te zeggen.

Aan de kant van de weg lag een klein winkeltje, zo'n klein plattelandswinkeltje waar je alles kon krijgen, van harken, laarzen en petroleum, tot aan koffie en zuurtjes. Maar het was een paradijs dat alleen maar open was voor mensen met geld. Vol verlangen keek

Rasmus door de open deur naar binnen; zijn voeten gingen vanzelf langzamer lopen. Wat was het fijn geweest om alleen maar eventjes te blijven kijken. Oskar liet zich door winkels niet van zijn stuk brengen. Hij was al een heel eind vooruit.

Met een zucht holde Rasmus achter hem aan. Toen stak hij zijn hand in zijn broekzak, en daar lag de stuiver. Die had hij helemaal vergeten in de spanning van de laatste dagen. Wat heerlijk om dat geldstuk tussen je vingers te voelen, wat was een stuiver toch groot en prachtig!

„Oskar, hou je van noga?" vroeg hij met een stem vol heimelijke vreugde en spanning.

„Natuurlijk hou ik van noga. Iedereen houdt van noga. Maar ik heb nu geen geld, hoor, dus we kunnen het niet kopen."

„Ik kan het wel," zei Rasmus, en hij liet zijn stuiver zien. Hij was een beetje bang dat Oskar nu weer zou zeggen dat hij zuinig moest zijn, maar zijn angst bleek volkomen onnodig.

„Kijk eens aan," zei Oskar. „Vooruit, koop jij maar noga!"

Rasmus holde naar de winkel. Wat een bof dat hij juist op dit plekje aan zijn stuiver dacht! En wat een geluk dat hij niet eerder iets gekocht had! Triomfantelijk kwam hij bij Oskar terug, die op hem zat te wachten aan de kant van de weg. Het moment waarop hij de zak opende, en Oskar de vijf grote nogablokken liet zien was voor Rasmus onvergetelijk.

Oskar hield zijn hoofd wat scheef en keek begerig naar de noga. „Nu eens kijken welke ik zal nemen!"

„Je mag ze allemaal nemen," verzekerde Rasmus met klem. „Ik wil dat je ze allemaal neemt!"

„Geen sprake van! Alles met mate. Eén zo'n ding is meer dan genoeg voor mij."

Dat Oskar zo'n bescheiden noga-eter was maakte hem in de ogen van Rasmus nog meer bewonderenswaard. Van ganser harte had hij

Oskar de vijf nogablokken gegund, maar hij was zelf ook maar een mens, en net zo dol op noga. Om aan de slootkant het papiertje van een nogablok af te peuteren was een van de fijnste bezigheden die je je kon voorstellen. Het papier zat er helemaal aan vastgekleefd. Je moest eerst het hele blok een poosje in je mond houden, om het papier nat te laten worden. Daarna kon je het er gemakkelijk afhalen, en dan hield je alleen de heerlijke, taaie noga over. Als je zuinig was en er voorzichtig op zoog, dan kon je er een hele tijd mee doen.

„Kijk, zo," liet Rasmus aan Oskar zien, terwijl hij heel langzaam het nogablok in zijn mond deed verdwijnen. Oskar had hem geleerd hoe hij moest lopen, maar hij kon Oskar leren hoe hij noga moest eten.

Een hele tijd zaten ze in de zon op hun noga te zuigen, maar hoe zuinig ze ook probeerden te zijn, de noga smolt onherroepelijk weg. Ten slotte proefde je alleen de smaak nog maar.

„De andere bewaren we," zei Oskar. „Er kunnen plotseling moeilijke tijden komen, en dan is het fijn een nogablok te hebben."

Oskar vermoedde zelf niet hoe waar dit was, hoe dichtbij de moeilijke tijden waren.

Tegen de avond rustten ze even bij een meertje. Het was een warme dag geweest, en een lange tocht. Rasmus wilde eigenlijk alleen maar liggen uitrusten op de rotsen, maar algauw bezweek hij voor het aanlokkelijke water van het meertje. Achter een paar bosjes kleedde hij zich vlug uit.

„Ga niet te ver het water in," zei Oskar, „want dan pakt de watergeest je."

„Ach, ik kan toch zwemmen," zei Rasmus. En met weemoed dacht hij aan vroeger, toen Gunnar en hij in de rivier hadden leren zwemmen. Dat was wel duizend jaar geleden.

Het lauwe water stroomde langs zijn lichaam. Wat was het heerlijk om in dit zachte water te zwemmen, alle vermoeidheid viel gewoon van je af. De waterlelies wiegden zachtjes heen en weer, als hij er in de buurt kwam. Ze waren zo prachtig en glansden zo wonderlijk wit. Was dit misschien de tuin van de watergeest zelf, waar hij rozen plukte in de zomernacht?

Rasmus ging op zijn rug liggen. Een poosje dobberde hij wat rond en bekeek hij filosofisch zijn grote tenen, die boven het water uitstaken. Het was helemaal stil op de oevers. Aan de andere kant van het meer riep een koekoek; je kreeg zo'n prettig gevoel vanbinnen als je dat mooie, droevige geluid hoorde.

„Die koekoek is gek," zei Oskar. „De zomer is begonnen en daarom verandert hij in een havik. Zou hij dat niet eens weten?"

Oskar zat zich op de oever te scheren voor een stuk spiegel dat hij uit zijn onuitputtelijke rugzak te voorschijn had gehaald.

„De juffrouw op school zegt dat het alleen maar bijgeloof is, te denken dat de koekoek in een havik verandert als de zomer begonnen is," riep Rasmus hem vanuit het water toe.

„Bewijs dat eens," zei Oskar.

„Bewijzen?! Als je een geluksvogel bent, dan verander je ook niet in een havik als de zomer begonnen is."

„Nee, dat is zo." Oskar was klaar met scheren, en pakje nu een grote kam te voorschijn, waarmee hij zijn krullenbol begon te bewerken. „Nee hoor, ik word geen havik! Zo'n klein jochie en al zo slim!"

In de wei ernaast liepen een paar koeien te grazen. Ze kwamen allemaal naar het hek toe, waar ze de indringers stonden aan te gapen. Een van de koeien sjokte naar het water om te drinken en het belletje dat ze om had klingelde helder in het rond.

Zomergeluiden, dacht Rasmus. Hij hoorde niets anders dan zijn eigen gespetter in het water, het geklingel van de koebel, en de koekoek aan de andere kant van het meer. Allemaal zomergeluiden.

Oskar voelde ook dat het zomer was; verstrooid begon hij onder het kammen voor zich uit te zingen:

Nu is het zomer,
nu schijnt de zon,
en de wei ligt vol met koeienvla...

Nu zweeg hij weer en bekeek wantrouwend het resultaat van zijn arbeid in de spiegel. Zijn haar krulde nog even weerbarstig als altijd.

Hij stopte zijn kam maar weer in zijn rugzak.

„Kom jij niet zwemmen, Oskar?" riep Rasmus.

„Nee, maar ik ga mijn voeten wassen."

Oskar stroopte zijn broekspijpen een klein eindje op en plaste wat rond in het water.

„Ik heb al gezwommen," zei hij.

„Wanneer dan?"

„Vorig jaar," zei Oskar. „Om ons geliefde koningshuis eer te bewijzen. Het was op de verjaardag van koningin Sofia, de vijftiende mei, en het water was afschuwelijk koud. Ik doe het beslist niet nog eens! Je kunt je net zo goed af en toe een beetje wassen."

„Bewijs dat eens," zei Rasmus.

„Dat bewijs ik..." begon Oskar, en net op dat ogenblik struikelde hij en tuimelde hij omver. Tot aan zijn middel in het water zat hij verbaasd in het rond te kijken. Rasmus barstte los in een luid gelach en Oskar keek hem boos aan.

„Zoals ik al zei... dat bewijs ik hierdoor," zei hij knorrig toen hij eindelijk weer overeind gekrabbeld was. Boos was hij gelukkig niet meer. Zittend op een steen waste hij zijn voeten grondig. En toen hij daarmee klaar was kroop hij met zijn natte broek de oever op, zachtjes voor zich uit zingend:

Nu is het zomer,
nu schijnt de zon,
en we kunnen weer zwemmen in het meer...

„Oskar, ik vind je aardig," riep Rasmus, en hij wist zelf eigenlijk niet waarom hij het riep.

Een poosje later was het tijd voor het avondmaal. Oskar had op de berghelling een vuurtje gemaakt om zijn broek te drogen en om de muggen te verjagen. „En omdat we net zo'n kampvuur willen hebben als de indianen," zei Rasmus, terwijl hij zo dicht mogelijk bij het vuur kroop.

Ze waren op een grote boerderij geweest, waar ze boterhammen en melk meegekregen hadden. Oskar had prachtige liedjes gespeeld en gezongen en daar kreeg je brood voor. Hij had gezongen van de wilde zee en van Ida's graf en allerlei andere dingen die Rasmus nog nooit gehoord had.

Hij haalde de boterhammen te voorschijn uit het krantenpapier. Kijk, in deze krant stond ook al een stukje over die dieven. 'Geen spoor te bekennen van de rovers van Westholm,' stond er. 'De politie onderzoekt de omstreken nauwkeurig.'

Rasmus duwde het krantenpapier onder de neus van Oskar, en liet hem het kleine berichtje zien.

„Waar ligt Westholm, Oskar?"

„Nou, ik geloof niet meer dan dertig, veertig kilometer hiervandaan."

Rasmus legde de boterhammen netjes op de stenen. „Deze met kaas zijn van de Wilde Zee," zei hij. „En die andere met leverworst zijn van Ida's graf."

„En dit is het gedruis van de Waterval uit Avesta," zei Oskar, terwijl hij de melkfles aan zijn mond zette.

Gretig hapte Rasmus in een boterham met worst. „Ze was aardig en mooi, die mevrouw van de boerderij," zei hij dromerig. „Maar ze had al twee meisjes met krullen."

„Je bedoelt dat ze anders jou had kunnen krijgen?"

„Ja," zei Rasmus met ogen die schitterden in het schijnsel van de vuurgloed. „Zo zou ik het ongeveer willen hebben. Ik wil bij iemand zijn die mooi en rijk is."

„Ach ja, ach ja," zei Oskar.

De muggen dansten in het rond. En hoe kleiner het vuur werd, des te brutaler werden ze.

„Nu zullen we die bloedzuigers eens een poets bakken, want we gaan ervandoor," besliste Oskar.

Hij haalde wat water in zijn mok, doofde het vuur en pakte al zijn bezittingen in.

Vlak in de buurt zagen ze een boerderij liggen. Oskar had er wel eens eerder op de hooizolder mogen slapen. Iedereen sliep al toen ze binnen tastend hun weg zochten en de hooizolder op kropen.

Rasmus snuffelde wat rond en graaide in het hooi totdat hij een behaaglijke slaapplaats gevonden had. Hij had zich zo goed toegedekt, dat alleen zijn neus nog maar te voorschijn stak. Hier waren ook muggen, en hij wilde ze zo weinig mogelijk te eten geven.

„Lig je lekker?" vroeg Oskar toen ook hij een plaats gevonden had.

„Ja, maar ik ben wel een beetje moe in mijn benen," zei Rasmus.

Oskar gaapte.

„Het gaat wel over, zoals de boer zei toen hij de sloot in reed. En nu gaan we slapen."

Rasmus lag nog even te luisteren naar het geritsel en het gekraak in het hooi. Als Oskar er niet bij geweest was had hij hier niet zo rustig gelegen. Beneden in de schuur hoorden ze kettingen zachtjes rammelen. Dat was het een of andere beest dat zich bewoog. En boven hem bleven de muggen maar eentonig doorzoemen. Dat was het laatste wat hij hoorde, voordat de slaap hem overviel.

6

Een paar uur later werd hij in de ochtendschemering wakker. Hij werd gewekt door een vreselijke stem, die zei: „Ja, hier ligt hij."

Hij zag twee agenten op een paar meter afstand staan en hij zag hoe Oskar slaapdronken rechtovereind ging zitten. Maar toen zag hij niets meer, want Oskar gooide een dot hooi over hem heen.

Zijn hart begon te bonken als een hamer.

'Nu... nu ben ik erbij! Nu moet ik terug naar de Havik.'

„Waar gaat het over?" hoorde hij Oskar vragen.

„Dat hoor je later wel," hoorde hij een van de agenten zeggen. „Kom maar mee."

Oskar werd boos.

„Ik mag verdorie toch wel weten waarom! Ik heb niks gedaan!"

„Alle landlopers moeten verhoord worden. Schiet op!"

Oskar werd nog bozer.

„Dat is me warempel het toppunt! Lig ik me daar te slapen, onschuldig als een bruid, en dan word je voor dag en dauw uit je bed gerukt! Pas op, hoor, dat ik niet razend word!"

Maar langzaam kroop hij toch maar overeind en ondertussen fluisterde hij Rasmus stiekem toe: „Lig stil! Verroer je niet!"

En daar gingen de agenten met Oskar tussen zich in.

Ze hadden Oskar van hem afgepakt! Iets ergers kon hij zich niet voorstellen. Ze waren zomaar met hem verdwenen, en Rasmus wist niet eens waarheen. Zijn rugzak hadden ze ook meegenomen. Door een kiertje in de deur zag hij Oskar in een wagentje klimmen. Een van de agenten ging naast hem zitten met de leidsels in zijn hand.

De andere klauterde achterin. De boer stond er met een knecht naast, om alles goed te zien, en de boerin en de meiden staken hun nieuwsgierige hoofden door het keukenraam, om Oskar te zien afdruipen. Nu werd er met de zweep in de lucht geknald en de paarden zetten zich in beweging. De hoeven maakten een stampend geluid op de weg. Een afschuwelijk geluid in de oren van Rasmus – nu zou hij Oskar wel nooit meer terugzien. Wanhopig wierp hij zich in het hooi neer om zijn gesnik te onderdrukken.

Toen hoorde hij iemand beneden in de stal. Iemand rammelde met melkemmers, een paar koeien loeiden alsof er brand was en twee meiden praatten opgewonden met elkaar. Voorzichtig kroop hij naar de opening om te horen of ze misschien iets over Oskar zeiden.

„Van landlopers kun je alles verwachten," hoorde hij de ene zeggen. „Het zou me niet verbazen als deze vent het geld in Westholm gestolen heeft."

„O, hij moet nu dus verhoord worden," zei de andere.

„Ja, dat moet hij," bevestigde de eerste. „Nou, als hij het gedaan heeft, dan komt hij in de bak," ging ze vrolijk verder.

„Als hij het gedaan heeft!" Rasmus herhaalde deze woorden stilletjes bij zichzelf, woedend op die stomme meiden, die zoveel kwaad konden denken van zijn geluksvogel!

Op deze hooizolder kon hij onmogelijk meer blijven. Hij hield het er niet meer uit. Hij moest zien uit te vinden waar Oskar was. Waar hij verhoord werd. Als hij nou maar wist waar hij verhoord werd, dan kon hij Oskar wel op de een of andere manier te pakken krijgen. Wel stak hij zich hierdoor in een wespennest, want hij kon er zelf net zo goed bij zijn en teruggestuurd worden naar het kindertehuis. Maar als Oskar toch gepakt zou worden, dan kon het hem niets schelen wat er met hemzelf gebeurde.

Heel zachtjes opende hij de zolderdeur; toen hij er zeker van was beneden niemand aan te treffen, zette hij het op een lopen in de richting waarin het wagentje was verdwenen.

Zo lang mogelijk holde hij. Daarna probeerde hij voort te stappen zoals Oskar het hem geleerd had. Hoe ver het was wist hij niet. Kwam hij maar iemand tegen, aan wie hij kon vragen waar het politiebureau was. Maar er was geen mens te bekennen op dit uur.

Eindelijk kwam er een oud vrouwtje uit een bospaadje. Net als in sprookjes, dacht Rasmus. Daar kwamen ook altijd oude vrouwtjes aan als iemand de weg naar de drakenburcht of zo moest weten.

Dit vrouwtje had een takkenbos op haar rug en liep erg voorovergebogen. Ze ontdekte Rasmus pas toen ze heel dicht bij hem was gekomen, en ze hief haar hoofd zo ver op dat hij net haar oude, vermoeide ogen kon zien.

„Weet u ook waar het politiebureau is?" stamelde Rasmus.

„Ik mag hout sprokkelen in het bos," zei ze, met haar knokige wijsvinger in de lucht. „Ik mág het! Daar heeft de politie niets mee te maken." En toen liep ze hem gauw voorbij, en een paar keer draaide ze zich nog mopperend om: „Ik mág het!"

Verdrietig ging Rasmus weer verder. Zo waren de vrouwtjes uit de sprookjes niet.

Maar al heel spoedig werd hij door een melkkar ingehaald. De jongen aan de teugels was niet veel ouder dan hijzelf. Een aardige jongen, die zomaar stopte en vroeg: „Wil je meerijden?"

Dankbaar ging Rasmus naast de jongen zitten. Wat heerlijk dat hij nu niet meer hoefde te lopen en alles gemakkelijk te weten kon komen.

„Het politiebureau, dat wil zeggen de veldwachter, die woont in het dorp, een eindje verder. Ik moet er juist naartoe met mijn melk. Ik zal je laten zien waar hij woont, want we komen erlangs."

De veldwachter was kennelijk nog niet uit zijn gele huis naar buiten gekomen, want toen de melkwagen voorbij rammelde zat Oskar buiten op een bank, goed bewaakt door de agenten die hem gepakt hadden. Rasmus durfde niet te stoppen. Hij reed maar mee tot aan de zuivelfabriek. Daar gaf hij de jongen een van zijn kostbare nogablokken, als dank voor de lift, en daarna sloop hij zo snel hij kon langs dezelfde weg terug. Oskar zat er niet meer. Maar door een open raam hoorde hij stemmengemompel. Rasmus kroop tot vlak bij het raam en kon zich gelukkig achter een ligusterhaag verbergen.

„Zie ik eruit als twee gemaskerde mannen?" hoorde hij Oskar woedend uitroepen. „Ja, hè, de landlopers zullen het wel weer gedaan hebben!"

„Een beetje kalm, Oskar." Dit was natuurlijk de stem van de veldwachter. „We willen alleen maar weten wat je vorige week donderdag gedaan hebt."

„Vorige week donderdag? Toen heb ik erwten met spek gegeten."

„Was dat alles?" vroeg de veldwachter.

„Ja, pannenkoeken heb ik niet gekregen."

„Is dat alles wat je die dag gedaan hebt?" vroeg de veldwachter geduldig.

„Hoe weet ik dat nou? Een landloper herinnert zich alleen maar wat hij eet. De dagen onthoud ik niet precies. Maar ik herinner me heel goed dat ik me niet vermomd heb als 'twee gemaskerde mannen' en ik heb nog nooit in mijn leven een cent gestolen."

„Dat moeten we dan maar geloven," zei de veldwachter. „Maar zou je ons dan willen vertellen of er hier soms collega's in de buurt rondzwerven?"

„Wat zijn collega's? Zijn dat dieven?" vroeg Oskar.

„Nee, landlopers bedoel ik."

„Verdikkeme, heet dat collega's in die stadstaal van jullie? Ik heb mijn hele leven niet beter geweten dan dat ik een landloper was, en dan blijkt het opeens dat ik een collega ben."

De veldwachter viel hem in de rede.

„Heb je hier in de buurt de laatste tijd andere landlopers ontmoet, of niet?"

Even was het stil, maar toen zei Oskar: „Luizenkoning heb ik gezien, en Bolle Nisse, en Zeven-Sprong. Maar ze zijn geen van allen rovers, zowaar als ik Paradijs-Oskar ben."

De veldwachter snoot zijn neus en hij ging bij het open raam staan, met zijn rug naar Rasmus.

„Nou ja," zei hij, terwijl hij weer zijn neus begon te snuiten. „Dan moet Paradijs-Oskar maar weer op vrije voeten gesteld worden."

„Ja, want het is toch wel een verzachtende omstandigheid als je onschuldig bent," vond Oskar.

Hier gaf de veldwachter maar geen antwoord op.

Onmiddellijk daarna kwam Oskar met zijn rugzak op zijn rug de straat op sjokken. Rasmus holde hem zachtjes achterna en zodra Oskar de hoek om was, buiten het bereik van de veldwachter, stak Rasmus zijn hand in de zijne, en zei: „Jij keek op je neus, hè?"

Oskar grijnsde tot achter zijn oren. „Nee hoor, kameraad. Ik dacht wel dat jij alleen verder zou gaan zwerven als ik in de bak gekomen was."

„Nee, dat had ik toch nooit gedaan! Ik wist dan toch zeker dat jij er wel weer gauw uit zou komen, omdat je onschuldig was."

„Hoe weet jij dat eigenlijk zo zeker? Ze willen mij beschuldigen van de roofoverval in Westholm en die vond vorige donderdag plaats. Toen kenden wij elkaar nog niet eens."

„Nee, maar nu ken ik je," zei Rasmus ernstig. „Dus nu weet ik het."

„Stel je eens voor dat veldwachters net zo slim zouden zijn," zei Oskar, met zijn arm om de schouders van Rasmus geslagen. „Die veldwachters denken maar dat alle landlopers boeven zijn, ach ja!"

Ze gingen op een bankje in een plantsoen zitten om hun laatste boterham van Ida's graf op te eten.

„Nu moeten we maar eens een vrolijk lied gaan zingen om niet te verhongeren," zei Oskar. „Eén ding weet ik tenminste. De politie heeft gelukkig nog niet gehoord dat jij ontsnapt bent. Ik denk dat de Havik er wel gras over laat groeien."

„Meestal laat ze nergens gras over groeien," zei Rasmus.

Hij diepte de nogablokken uit zijn zak op.

„Nu zitten we in moeilijkheden, we eten dus de noga op." Toen ze ze naar binnen gewerkt hadden zei Oskar: „Eigenlijk verdraaid aardig van de politie om me een lift hierheen te geven, want ik moest hier toch naartoe. Hier speel ik altijd in de grote huizen. Ik krijg hier heel wat meer dan op het platteland bij de boeren, waar je alleen maar te eten krijgt."

„Maar dat is toch ook niet zo gek," zei Rasmus, die honger begon te krijgen, ondanks de boterham en het nogablok.

Oskar stond op van de bank. „Nou, geef mij maar contanten. Wacht eens even... ik geloof dat ik naar mevrouw Johansson ga."

„Wie is mevrouw Johansson?"

„O, dat is het liefste mensje op de wereld. Ze heeft massa's geld en ze is er gul mee ook. Meestal zing ik voor haar: In ieder woud is wel een bron, en dan begint ze te huilen, en dan krijg ik vijftig cent."

Rasmus begon te dansen van blijdschap.

„Dat ken ik ook. In ieder woud is wel een bron, dat zong tante Olga altijd in de keuken."

„Dat was verstandig van tante Olga in de keuken. Nou, dan kunnen we het samen uitkramen voor mevrouw Johansson."

Rasmus huppelde over de trottoirband. Wat leuk om samen met Oskar te zingen. En dat je er dan ook nog geld voor kreeg! Stralend keek hij Oskar aan.

„Ik moest eigenlijk al jouw liedjes leren, Oskar. Want jij bent natuurlijk wel eens schor."

„Ja, als ik schor ben, dan moet je maar eens zingen van de Wilde Zee, en van Ida's graf."

Het huis van mevrouw Johansson lag aan de andere kant van het dorp. Het was een oude, groene villa, omgeven door lommerrijke esdoorns, en een aardig eindje verwijderd van andere huizen.

Rasmus en Oskar bleven keurig even voor het hek staan. Het kwam niet van pas dat straatmuzikanten zomaar, pardoes, binnenstapten. Nee, ze moesten aarzelend dichterbij komen.

De jasmijnen geurden heerlijk en de gebroken hartjes stonden in volle bloei. In de bloemperken bloeiden viooltjes en reseda's en verder allerlei soorten onkruid.

„De Havik zou razend worden als ze zo'n tuin zag," zei Rasmus.

„Mevrouw Johansson is al erg oud," zei Oskar. „Ze kan de tuin niet zo goed meer onderhouden en het meisje dat de huishouding doet heeft er natuurlijk geen zin in."

Ze volgden het pad, dat naar het huis liep. Het lag daar muisstil, met dichtgetrokken gordijnen. Je kon je nauwelijks voorstellen dat er daarbinnen een levende ziel was.

„Als ze maar niet dood is, dat lieve mensje," zei Oskar.

Het was helemaal stil. Je hoorde alleen af en toe de mussen op de veranda kwetteren.

„Laten we maar eens wat leven in de brouwerij brengen," zei Oskar.

Hij pakte zijn harmonica, Rasmus slikte en haalde diep adem. Het was de eerste keer dat hij in het openbaar zou zingen.

In ieder woud is wel een bron,
in ied're wei zijn bloemen...

O, wat klonk het prachtig. Rasmus vond dat Oskar en hij konden zingen als engelen.

In ieder hart is een verlangen...

Verder kwamen ze niet. Want juist op dat ogenblik ging er een rolgordijn omhoog en stak het meisje van mevrouw Johansson haar hoofd door het open raam. Rasmus dacht tenminste dat het de hulp was, want ze had, zoals alle meisjes bij rijke mensen, een blauwe jurk aan met een keurig wit schortje.

„Hier mogen jullie niet zingen," riep ze. „Mevrouw is ziek en wil niet gestoord worden. Maak dat je wegkomt!"

Oskar nam zijn pet af. „Wilt u mijn nederige groeten overbrengen aan mevrouw Johansson? De groeten van Paradijs-Oskar, en dat ze maar weer gauw mag opkikkeren."

Het meisje antwoordde niet. Ze trok het rolgordijn naar beneden.

„Wat een schepsel," zei Oskar. „Vroeger was er hier een aardige meid, die iedereen koffie gaf. Waar zou die gebleven zijn?"

Rasmus was diep teleurgesteld. Hij had zich er zo op verheugd dat mevrouw Johansson ze misschien wel vijftig cent zou geven. Ook Oskar was teleurgesteld.

„Het leven is een dag vol zonneschijn," zei hij. „Kom mee, we gaan weer verder!" Hij liep naar het hek, maar Rasmus hield hem tegen.

„Oskar, ik heb zo'n verschrikkelijke dorst. Geloof je niet dat ik een beetje water zou kunnen krijgen, al is mevrouw Johansson ziek?"

„Dat zal wel lukken," zei Oskar. „Een beetje water zal die meid je toch niet weigeren. Schiet op, dan wacht ik hier."

Rasmus holde weer terug. Hij sprong de verandatrap op, en maakte de mussen zo vreselijk aan het schrikken, dat ze kwetterend alle kanten op vlogen. Hij klopte op de buitendeur en liep maar naar binnen, hoewel hij geen antwoord kreeg. Daar zag hij drie deuren.

Hij koos de middelste deur uit en klopte daar nog eens flink op. Maar het was helemaal stil, niemand riep: 'Kom binnen.' Een moment aarzelde hij; toen opende hij de deur heel voorzichtig en stapte naar binnen.

In een leunstoel zat een oude dame, die hem aanstaarde alsof hij

een spook was. Het meisje dat Oskar en hem zojuist weggestuurd had, stond ernaast, en ook zij gaapte hem zo wonderlijk aan. Het werd hem vreemd te moede.

„Zou ik een beetje water mogen hebben?" vroeg hij verlegen.

De oude vrouw hield nog steeds haar ogen op hem gericht. Het leek wel of ze verlamd was, maar met inspanning van al haar krachten zei ze opeens: „Anna-Stina, geef de jongen water!"

Anna-Stina leek niet erg enthousiast, maar ze ging naar de keuken en Rasmus bleef alleen achter met mevrouw Johansson, want die oude dame kon gewoon niemand anders zijn.

Rasmus werd helemaal zenuwachtig. Waarom bleef ze hem aanstaren, buiten zichzelf van angst? En waarom lag ze niet in bed als ze ziek was?

„Bent u heel erg ziek, mevrouw?" vroeg hij ten slotte, toen hij de blik van haar starende ogen niet langer kon verdragen.

„Nee, ik ben niet ziek." Het leek wel of ze nauwelijks kon praten. Ze was dus niet ziek?

Waarom zou het meisje erom gelogen hebben?

Nu kwam Anna-Stina terug met een grote soeplepel vol water, die ze hem knorrig aanreikte. Het was lekker koud water en met grote slokken slurpte hij het naar binnen. Terwijl hij dronk keek hij onderzoekend de kamer rond.

Het was een prachtig huis, een echt herenhuis. Zoiets had hij nog nooit met eigen ogen gezien. Er stond een schitterende bank, bekleed met rode pluche. De leunstoelen zagen er net zo uit en er stond een ronde, houten tafel en een ladekast met goud versierd. Het kleed op de grond was heel zacht en veelkleurig, er hing een prachtig, donkergroen gordijn voor de deur die toegang gaf tot de kamer ernaast, en hij zag een mooie trap naar de bovenverdieping.

Maar met dat gordijn was er iets niet in de haak. Het bewoog, ja dat deed het werkelijk. Op de grond viel hem iets op. Onder het gordijn kwam een schoen te voorschijn. Het was een lichtgekleurde mannenschoen met zwarte randen.

Wat hadden die mensen in zulke grote huizen toch een eigenaardige gewoonten! Het was duidelijk dat er een man achter het gordijn stond. Wat kon het Rasmus eigenlijk schelen. Misschien waren ze net verstoppertje aan het spelen. Alleen was hij bang voor de ogen van mevrouw Johansson.

Nooit in zijn leven had hij ogen gezien waarin de angst zo duidelijk te lezen stond. Mevrouw Johansson staarde naar het gordijn alsof er daarachter iets heel gevaarlijks op de loer lag.

Anna-Stina vond het misschien een beetje zielig voor mevrouw Johansson dat ze zo bang was voor die schoen, want nu liep ze naar de deur, terwijl ze ondertussen het gordijn recht hing, zodat de schoen niet meer te zien was. Misschien vond Anna-Stina ook wel dat Rasmus niet mocht weten dat er een man achter het gordijn stond?

De angst van mevrouw Johansson begon op hem zelf over te slaan. Er ging hier iets vreselijks gebeuren, dat voelde hij. Hij moest maar zo gauw mogelijk deze kamer uit zien te komen, met die neergerolde gordijnen, de angstig starende ogen, en die vreemde, griezelige schoenen. Hij wilde naar buiten, naar Oskar.

„Dank u wel voor het water," zei hij, en hij gaf Anna-Stina de soeplepel weer terug. Hij liep naar de deur.

„Moet je nu al gaan? Je kon misschien..." Dat was de wanhopige stem van mevrouw Johansson. Hij keerde zich om en keek haar aan.

„Wat kon ik misschien?"

„Nee, nee, het was niets... het is maar het beste dat je gaat."

Stomverbaasd en een beetje ongerust ging Rasmus weg. Misschien had ze bedoeld dat hij haar op de een of andere manier moest helpen?

Hij vertelde alles aan Oskar en vroeg hem wat hij ervan vond.

„Zoek je er niet te veel achter?" vroeg Oskar.

„Nee... ik ben er zeker van dat er iets niet in de haak was."

Ze liepen een eindje verder, maar opeens bleef Oskar staan en krabde op zijn hoofd.

„We kunnen niet zomaar weggaan zonder uitgezocht te hebben wat ze daarbinnen uitspoken. Kom, we gaan terug."

Voorzichtig slopen ze het hek weer binnen. Maar in plaats dat ze het pad naar het huis volgden, slopen ze tussen de bessenstruiken door totdat ze achter het huis uitkwamen.

Achter geen enkel raam was een levend wezen te bekennen. Maar het was een griezelig idee te weten dat er misschien toch iemand achter de dichte gordijnen stond te gluren.

„Het is hier zo stil als de nacht," zei Oskar. „Hoe kunnen we er nou achter komen wat er daarbinnen gebeurt? Kun jij me dat zeggen?"

Dat kon Rasmus wel. „We moeten ze binnen zien te ontdekken."

„Hoe denk je dat te doen?"

Rasmus dacht even na. Als je maar op de bovenverdieping kon komen, dan kon je heerlijk vanaf de trap spioneren. Je kon dan op je buik gaan liggen om te horen wat er aan de hand was in de kamer met dat gordijn. Hij legde dit alles aan Oskar uit. Oskar schudde zijn hoofd.

„Het is veel te gevaarlijk om het huis van andere mensen binnen te gaan en in het bijzonder voor landlopers. Bovendien weet ik helemaal niet hoe ik binnen moet komen."

„Dat weet ik wel," fluisterde Rasmus. Hij wees op een raampje dat boven openstond. Het was een klein, smal raampje en zo'n brede vent als Oskar zou er nooit doorheen kunnen komen, maar hemzelf zou het best lukken. Een grote boomtak kwam helemaal tot aan het dak van het huis. En als er iets was dat Rasmus goed kon, dan was het wel in bomen klimmen.

Vakkundig schatte hij de afstand tussen de tak en het raam. Meer dan een meter was het niet. Het zou hem echt geen moeite kosten.

„Je maakt me doodsbang," zei Oskar. „Jongen, dat is levensgevaarlijk! Nee hoor, dat laat ik je niet doen."

„Het is de enige mogelijkheid," zei Rasmus. „Help me maar in de boom."

Voor een heleboel dingen was Rasmus vreselijk bang. Hij was bang voor slaag en bang voor mensen, voor de Havik en voor de grote jongens uit het kindertehuis, en hij was bang dat de juffrouw op school hem niet aardig zou vinden en hem op de een of andere manier zou straffen. Hij was bang om alleen te zijn in het donker, trouwens, hij was altijd bang om alleen te zijn, erg bang. Maar lichamelijk was hij fantastisch moedig. Als het aankwam op klimmen, springen of duiken, dan kon het hem allemaal niets schelen, hoe gevaarlijk het er ook uitzag. Dat kleine, magere lichaampje vertrouwde eigenlijk veel te veel op zijn eigen kracht, er was daar geen greintje angst te bekennen. En daarom luisterde hij helemaal niet naar de protesten van Oskar.

„Help me nou even in de boom!"

De laagste takken zaten te hoog voor hem om er zelf bij te kunnen.

„Je maakt me doodsbang," zei Oskar. Maar hij pakte Rasmus op alsof het zijn handschoen was en tilde hem zo ver de lucht in dat hij een tak kon grijpen. Rasmus hees zich omhoog. Zijn armen, benen, vingers en tenen waren allemaal vol ondernemingslust.

Maar Oskar was bang. Hij stond in de schaduw van de esdoorn, en zag met angst in het hart zijn kameraadje door het kleine raampje verdwijnen.

7

Rasmus kwam in een kast vol kleren terecht, een kast bijna zo groot als een kamer. Op een plank stond een opgezette papegaai, eigenlijk reuzeleuk om naar te kijken. Maar niet op dit ogenblik. Nu had hij echt geen tijd voor papegaaien.

Hij bleef staan voor de dichte kastdeur. Was het gevaarlijk om de deur te openen? Wat zou erachter zijn?

Heel voorzichtig duwde hij de deur langzaam open. Hij wist heel goed dat het minste geluidje hem zou kunnen verraden. En het duurde een eeuwigheid voordat de opening zo groot was dat hij zich erdoorheen kon persen. Een poosje bleef hij met ingehouden adem staan. Hij luisterde alleen maar, durfde zich niet te bewegen. Hij spiedde angstig de kamer rond waarin hij nu beland was.

Alweer zo'n prachtig gemeubileerde kamer. Er stond een gebloemde bank, een oude hangklok, die langzaam tikte, en een grote bak met een palm erin. En daar zag hij inderdaad de trap naar de benedenverdieping.

Opeens hoorde hij een half onderdrukte schreeuw van beneden komen. Hij schrok ervan en zijn hart begon heftig te bonken. Maar hij mocht het nu niet opgeven. Hij moest bij de trap zien te komen om te ontdekken wat er beneden voor vreselijks gebeurde.

Tot nu toe kon hij het alleen maar horen. Wat een akelige geluiden waren het. Nu huilde er iemand hulpeloos en wanhopig, en iemand anders liep met haastige stappen weg. O, wat was het verschrikkelijk! Af en toe was het helemaal stil en dan hoorde hij alleen maar het doffe getik van de klok, bijna nog afschuwelijker dan al het andere.

Voetje voor voetje naderde hij de trap. Iedere vloerplank onderzocht hij van tevoren, doodsbang dat die zou kraken, en steeds kwam hij weer wat dichterbij. Hij bleef muisstil staan als het beneden rustig was en hij benutte ieder geluid van beneden om haastig verder te sluipen. Eindelijk was hij bij de trap. Hij ging op zijn hurken zitten om tussen de spijlen door te kunnen gluren.

Hij had het goed uitgemikt, want het was een prachtige plaats om alles te kunnen volgen wat zich beneden afspeelde.

Hij kon een groot deel van de kamer zien. Mevrouw Johansson zat nog precies zo in haar stoel als tevoren. Zij was het die zat te huilen. Anna-Stina probeerde haar te kalmeren. En daar... uit een hoek die hij niet kon zien, kwam een vent te voorschijn... het waren zelfs twee kerels, hier ook al gemaskerde mannen?! Ja, ze hadden allebei een zwart masker voor hun gezicht, en de een had die schoenen aan die hij onder het gordijn had zien uitsteken.

Er begon iets te gonzen in de klok achter hem en het angstzweet brak hem uit voordat hij begreep dat de klok bezig was te gaan slaan. Er volgden tien zware slagen, Rasmus had een gevoel alsof hijzelf dat geluid veroorzaakte. En hij begon te vrezen dat die mannen met hun zwarte gezichten de trap op zouden komen om hem en de klok tot bedaren te brengen.

„Nee, nee, niet de ladekast!"

Mevrouw Johansson jammerde van ellende. Niemand gaf haar antwoord. De man bij de ladekast, die met de schoenen, trok alle laden open en rommelde er verschrikkelijk in.

Juist op dat ogenblik voelde Rasmus dat iemand hem aanraakte. O, wat afschuwelijk, iemand kwam van achteren op hem af en raakte hem aan! Hij kon wel schreeuwen van schrik en ontzetting, hij wou dat hij dood was, zo bang was hij... En toen bleek het niet anders dan een klein, zwart katje dat hem langs zijn been aaide. En hij hield nog wel zo veel van katjes! Maar niet op dit ogenblik. Hoe kon dat beest nu, op dít ogenblik, kopjes komen geven en spinnen?

Hij probeerde het diertje weg te krijgen door het zachtjes te schoppen, maar het katje was koppig. Hier was iemand die hij kopjes kon geven, en nu zou hij het doen ook. Een klein sprongetje, en hij was weer bij Rasmus aangeland en bleef maar ronddraaien en spinnen. Ten slotte stopte hij zijn staart zomaar in het oor van Rasmus.

Rasmus werd er wanhopig van. Hoe was het toch mogelijk dat katten geen flauw benul hadden van de dingen die zich in hun huis afspeelden, dat ze maar stom bleven spinnen, terwijl hun vrouwtje beneden doodsbang aan het huilen was! Hij pakte het dier stevig vast en sleurde het een eindje weg, nu wat hardhandiger dan de vorige keer. De kat bleef stil zitten op de plek waar hij terechtgekomen was en keek Rasmus afkeurend aan. Toen maakte hij rechtsomkeert en verdween met de staart in de lucht. Dan maar geen vleierijen meer!

Nu begon mevrouw Johansson erger dan ooit te jammeren. „Nee, niet de ketting," smeekte ze. „Jullie mogen alles meenemen maar niet de ketting! Die is voor mijn dochter in Amerika!"

De man bij de ladekast onderzocht de gouden ketting nauwkeurig. Hij deed net alsof hij mevrouw Johansson helemaal niet hoorde. Hij stak de ketting in zijn zak en ging door met zoeken. De andere bleef stil bij de deur staan. Nu pas zag Rasmus dat hij een revolver in zijn hand hield en dat hij die voortdurend op mevrouw Johansson en Anna-Stina bleef richten. Ellendig was het! Van angst kneep Rasmus in de spijlen van de trap.

Toen gebeurde er iets. Een klein stukje van de houten trapleuning was los. Het had al losgezeten toen Rasmus nog niet eens bestond, en het was jaren achtereen rustig op zijn plaats gebleven. Tot op dit ogenblik. Totdat Rasmus het op dit noodlottige ogenblik toevallig even aanraakte. Met een klap viel het stukje hout op de grond, juist achter de man bij de ladekast.

Hij draaide zich onmiddellijk om, en ook hij greep bliksemsnel naar zijn revolver.

„Wie is daarboven?” zei hij met een snerpende stem.

Ik ga dood, dacht Rasmus wanhopig. Oskar, kom me toch helpen!

„Daarboven is niemand,” zei Anna-Stina.

„Regent het dan zomaar vanzelf stukken hout? Dat geloof ik toch echt niet.” Met zijn revolver in de hand begon hij langzaam, behoedzaam de trap op te lopen.

Waanzinnig van schrik was Rasmus al een eindje achteruit gekropen, en zodra hij de stappen op de trap hoorde kroop hij op zijn buik tot achter de gebloemde bank. Nog nooit in zijn leven had hij zo slecht verstoppertje gespeeld.

De bank was een erbarmelijke schuilplaats, maar er was niets anders. Hij had geen ogenblik tijd om iets anders te zoeken. Hij kon alleen maar stil blijven liggen luisteren naar de stappen die naderbij kwamen.

Een afschuwelijker geluid dan deze voetstappen kon hij zich niet voorstellen. Even was het stil, nu stond de rover natuurlijk te berekenen vanwaar de aanval zou kunnen komen, als er echt een vijand zat. Maar de vijand dacht in de verste verte niet aan een aanval!

Hij wilde alleen maar dat hij zich nooit in het hol van de leeuw begeven had, en dat Oskar hem kwam redden. Maar zelfs Oskar kon hem op dit ogenblik niet helpen.

Daar waren ze weer, die vreselijke stappen.

Ze kwamen steeds dichterbij... nu... nu was hij zo dichtbij dat Rasmus die afschuwelijke schoenen zag met hun zwarte, glimmende randen... Help!

Nooit had Rasmus kunnen vermoeden van welke kant zijn hulp zou komen. Het kleine, zwarte katje had een poosje met de vitragegordijnen gespeeld, die voor het raam hingen. Het was eigenlijk streng verboden je nagels in de gordijnen te zetten, maar het was zo heerlijk om voor de ramen op en neer te wiegen. Opeens kreeg hij een paar zenuwachtig bewegende jongensvoeten in het oog. Dat was nog veel fijner dan de gordijnen.

Verheugd sprong hij boven op zijn slachtoffer. Met uitgesperde klauwen ging hij als een dolle tekeer, spelend dat de grote teen een rat was. Wat gek dat die jongen dat geen leuk spelletje vond!

Nee, hij vond het verre van leuk, want hij greep opeens met zijn harde knuisten het katje beet, en slingerde het een heel eind over de vloer, zodat het voor de voeten van een andere man terechtkwam.

Die had ook al helemaal geen zin in spelen. Hij riep alleen maar 'ellendig beest', en verdween meteen weer naar beneden.

Met een bonkend hart bleef Rasmus achter de bank liggen. Van alle dieren op de wereld was de kat het beste, en van alle katten was dit kleine, zwarte kattenjong nummer één! Het beestje had hem gered.

Die stomme kerel dacht dat het 'ellendige dier' voor die houtregen gezorgd had, wat een bof dat hij dat dacht!

Rasmus durfde zijn schuilplaats niet te verlaten. Maar hij spande zijn oren tot het uiterste in om te horen wat ze daarbeneden nu in hun schild voerden. Mevrouw Johansson liet geen snik meer horen.

In plaats daarvan hoorde hij de verschrikte stem van Anna-Stina.

„Wat ontzettend, ik geloof dat het oude mens van haar stokje is gegaan. Ze is vast ziek. Hilding, wat moet ik doen?"

„Dat is jouw zaak." Het antwoord kwam van de man met de schoenen. Nog nooit had Rasmus zo'n koude, meedogenloze stem gehoord.

En Anna-Stina! Oskar had gelijk, die meid was een verschrikkelijk schepsel. Ze speelde nota bene met de rovers onder één hoedje!

„Hilding, ik bel de dokter op," zei Anna-Stina met een benepen stemmetje.

„Dat laat je maar uit je hoofd!" antwoordde de meedogenloze stem. „Ik heb trouwens de telefoonkabel doorgesneden."

„Ja, maar mevrouw Johansson gaat dood," schreeuwde Anna-Stina toen hard.

„Hou je koest! En onthoud goed dat je vóór vanavond geen dokter en ook geen veldwachter haalt."

„Maar hoe moet ik het dan uitleggen...?"

„Zeg dat het mens ziek was en dat je haar niet alleen wou laten."

„Ik ben zo bang," zei Anna-Stina. „Ik wil hier niets meer mee te maken hebben."

'Arm schepsel,' dacht Rasmus. Het werd zo langzamerhand wel tijd om dit te zeggen. Wat een afschuwelijke mensen waren er toch!

Rasmus had een klein, warm hartje, en hij stond doodsangsten uit voor mevrouw Johansson. Was je maar sterk, was je maar het sterkste van alle mensen, dan kon je die boeven tenminste bij hun nekvel grijpen, in plaats van hier als een bange haas te liggen!

Ze kregen opeens haast, daarbeneden. Hij hoorde ze goeiendag mompelen, toen werd er een deur dichtgeslagen, en Anna-Stina zei met haar onnozele stem: „Lieve mevrouw, word toch wakker! Word toch wakker, lieve mevrouw!"

Rasmus was helemaal bleek om zijn neus toen hij een paar minuten later weer bij Oskar aankwam.

„Eindelijk," zei Oskar. „Eindelijk..."

Rasmus viel hem in de rede.

„Heb je ze gezien, heb je die kerels gezien?"

Oskar schudde zijn hoofd.

„Toen jij weg was, heb ik niets meer gezien. Maar wat heb ik gezweet!"

„Heb je ze niet gezien?" zei Rasmus teleurgesteld. Oskar had toch wel bij de hoek van het huis op de uitkijk kunnen gaan zitten; dan had hij de rovers misschien zonder masker gezien.

„Je had moeten spieden," zei Rasmus. „Wat heb je de hele tijd dan gedaan?"

„Ik heb gezweet," zei Oskar nadrukkelijk.

8

„En wat gaan we nu doen?" vroeg Rasmus angstig toen hij al zijn belevenissen aan Oskar verteld had.

Oskar schudde zijn hoofd en dacht diep na.

„Deze week begint goed, zei de man die maandag opgehangen zou worden! Ik weet echt niet wat we moeten doen."

De wereld was slecht. Ze hadden de eenzaamheid opgezocht, een verborgen heuveltje buiten het dorp, waar ze hun moeilijkheden konden overdenken. Rasmus lag op zijn rug in een zonnige kuil te staren naar de kleine wolkjes die voorbij zeilden, en naar de dennenbomen die zachtjes heen en weer wiegden boven zijn hoofd. Hij rilde bij de gedachte aan mevrouw Johansson. Misschien was ze nu al wel dood, met die vreselijke meid in haar huis. De twee gemaskerde mannen waren inmiddels spoorloos verdwenen met haar ketting.

„We gaan naar de veldwachter," zei hij.

Oskar begon te grijnzen. „Dan zetten ze me pas echt in de bak. Dan beginnen ze werkelijk te geloven dat ik een vinger in de pap van Westholm heb, en in die van mevrouw Johansson."

„Ja, maar, als je nu zegt dat je onschuldig bent?"

„Ach ja, als ik zeg dat ik onschuldig ben, dan buigt hij natuurlijk voor me, en dan laat hij me zomaar gaan, denk je dat nou echt? Jij weet niet wat het betekent om landloper te zijn. Nee hoor, mij niet gezien bij de veldwachter." Hij begon achter zijn oor te krabben. „Misschien kunnen we hem een briefje schrijven. Ben jij goed in schrijven?"

„Gaat wel," zei Rasmus.

„Dan moet jij maar een paar zinnetjes in elkaar draaien, want ik spel zo beroerd."

Oskar haalde een potloodstompje uit zijn vestzak en scheurde een blad uit zijn opschrijfboekje, waar hij zijn liedjes in had staan.

Het papier was er niet zo best aan toe. Het leek wel of het boek buiten in de regen had gelegen. Maar je kon er toch nog wel op schrijven. Oskar dicteerde en Rasmus schreef op:

Er is iets versrikkeleks gebeurt bij
Mevrouw Johanson in het groene huis.
De dokter moet er naartoe gaan en de
veltwagter ook heel gauw. een vrient
van weedewen en weezen vraagt het.
Die meit weet er ook meer van.

En toen lieten ze hun rustige kuil weer in de steek om snel naar het dorp terug te gaan. Voor de tweede keer kroop Rasmus achter de ligusterhaag van de veldwachter. En nu gooide hij het papiertje, om een steen gewikkeld, door het open raam naar binnen.

Het gaf een klap op de grond en Rasmus holde weer naar Oskar, die op de hoek stond te wachten.

Nu hadden ze wel alles gedaan wat ze voor mevrouw Johansson konden doen, en het werd tijd dat ze weer aan zichzelf gingen denken. „Hoe lang duurt het totdat je doodgehongerd bent?" vroeg Rasmus.

Hij had het gevoel of hij al een flink eind op weg was. Het was allang etenstijd en hij had de hele dag nog niet meer dan een boterham en een nogablok te eten gehad.

„Ja, dan moeten we ons tierelied maar weer eens laten horen als we wat willen eten," zei Oskar. „Niet dat ik me nou bepaald een zangvogel voel, maar er moet toch iets gebeuren."

Wat was het heerlijk om op deze manier aan je geld te komen! Een paar uur lang liepen ze zingend en spelend de huizen af. Rasmus vergat al het kwaad en al zijn honger, zo verheugd was hij over alle stuivertjes en centen die binnen kwamen regenen. De mensen waren dol op de liedjes van Oskar. Ze hadden er heus wel geld voor over om te horen hoe er vrouwen door leeuwen verscheurd werden, en hoe ze, in de steek gelaten door hun Alfred, neergeschoten werden met revolvers, zodat ze in hun eigen bloed kwamen te baden.

„Er gebeuren droeve zaken," zong Oskar. En hoe droever de zaken waren, des te tevredener werden de mensen.

Van de ene hoeve zwierven ze naar de andere, en bij de eerste akkoorden van de harmonica lieten de keukenmeisjes hun afwasbak in de steek. Dan hingen ze uit het raam en knipoogden tegen Oskar. Ze gaven hem o zo graag een stuiver, omdat de zon scheen en omdat ze 's avonds hun eigen trouwe Alfred zouden ontmoeten. Zelfs de keurige mevrouwen zaten te gluren achter hun gordijntjes, ze neurieden glimlachend mee en stuurden hun kinderen gauw met een dubbeltje naar Oskar.

Rasmus verzamelde wild van vreugde al het geld. Wat een heerlijk beroep, dat van straatmuzikant!

„Als ik groot ben, word ik dat ook," zei hij tegen Oskar.

„Ja, jij ook? Hou je dan zo veel van muziek?"

„Nee, maar ik hou zo veel van geld," zei Rasmus eerlijk. „Op Zuiderveld had je nooit een cent... ja, ik hou echt van geld."

„Maar daar hoef je je hele leven toch geen straatmuzikant voor te zijn? Er zijn wel dingen waar je veel meer geld mee verdient."

Rasmus stopte de laatste oogst in de zak van Oskar.

„Maar ik hou het allermeest van stuivertjes, begrijp je?" Opeens betrok zijn gezicht. Hij wilde er eigenlijk helemaal niet aan denken wat hij zou gaan doen als hij groot was, want dan moest hij er ook bij stilstaan wat er voordien zou gebeuren. Wat er zou gebeuren als hij niet meer met Oskar kon rondzwerven. Wat moest er van hem worden als er op de hele wereld niemand was die hem onderdak zou willen geven?

Ten slotte besloot hij er maar niet meer over te piekeren, de dingen te nemen zoals ze kwamen en blij te zijn als dit mogelijk was.

„Als jij zo veel van stuivertjes houdt, dan moet je er maar een paar houden," zei Oskar, terwijl hij twee munten aan Rasmus gaf.

Rasmus begon te blozen van verrukking. Hij gaf Oskar keurig een hand en boog, zoals hij dat geleerd had. Een tijdlang kon hij geen woord uitbrengen, maar ten slotte sloeg hij Oskar onhandig op zijn mouw, zeggend: „Jij bent de aardigste landloper die er is, Oskar."

Hij had zo zelden in zijn leven iets gekregen. Ieder presentje was iets heel bijzonders. Als je iets kreeg, dan betekende dat dat iemand van je hield. Voor Rasmus waren deze twee stuivertjes er een duidelijk bewijs van dat Oskar van hem hield. Daarom omklemde hij ze des te steviger in zijn broekzak. Wat rijk was hij nu!

„Ach, ik ben zoals landlopers meestal zijn. Dan weer eens aardig en dan weer eens boos. Kom, nu gaan we lekker wat te eten kopen!"

Alleen al bij de gedachte aan eten zag Rasmus sterretjes voor zijn ogen dansen, zodat hij dan ook met bibberende knieën de kruidenierswinkel binnenstapte. O, wat rook het daar heerlijk! Allerlei soorten worsten lagen op elkaar gestapeld, vette bloedworst, gerookte ham, leverpastei en alle mogelijke kazen verdrongen elkaar op de toonbank. Toen ontdekte hij ook nog een plank vol chocoladerepen, snoep en toffees.

Zodra hij de deur hoorde klingelen kwam er een vriendelijk mannetje de winkel in gestapt, bedrijvig in de weer om ze alles te geven wat ze wilden hebben. Hij had vette handen en rouwranden aan zijn nagels. Maar wat kon hij een lekkere, dikke plakken ham snijden, en wat had hij snel het brood, de kaas en de tabak voor hun neus gelegd! En wat aardig was hij ondertussen met Oskar aan het praten.

Dat was nu net een koopman voor Rasmus.
„De zomer is maar wat goed begonnen," zei hij tegen Oskar.
Tegen Rasmus zei hij nog iets veel beters.
„Wat zou jij denken van een stukje chocola?" Zonder meer nam hij een chocoladereep van de plank, weliswaar de allerkleinste, maar toch! Er zat glanzend, rood papier omheen, het leek wel een edelsteen tussen zijn vette vingers.
„Alsjeblieft, laat het je smaken," zei hij.
Rasmus gaf hem een hand en boog weer, en Oskar zei goedkeurend: „Laat-ie fijn zijn! Nu eens kijken of er nog een bier en een limonade af kan, en dan moeten we maar genoeg hebben!"
Het was al over drieën en ze vonden dat ze maar zo gauw mogelijk naar hun heuveltje terug moesten gaan, om alles in rust op te eten.
Het nieuwtje van de roofoverval was kennelijk nog niet doorgedrongen tot de bevolking, want het hele dorpje lag rustig en vredig in de middagzon, toen Oskar en Rasmus door de hoofdstraat liepen.
„Wacht maar tot ze het gehoord hebben, dan zul je eens een gesmoes horen," zei Oskar. „Maar die suffe veldwachter heeft de brief misschien nog niet eens gevonden. Het is zeker niet genoeg om grote straatstenen bij hem naar binnen te gooien; hij heeft natuurlijk een bom nodig om wakker te worden."
Bij de rivier was een café met een aardig terrasje. Daar zaten allerlei mensen koffie te drinken op dit uur van de dag. Het hele terras zat vol, en Oskar zei: „Ik weet dat je honger hebt, Rasmus, maar dit vette hoentje kunnen we ons niet door de neus laten boren. Die stuivertjes moeten we hebben."
Hij pakte zijn harmonica te voorschijn en ging op een flinke afstand van de etende, drinkende en converserende mensen staan.
Het waren merendeels dames, van die mooie dames met grote, elegante hoeden en kanten kraagjes, voor Rasmus een lust om naar te kijken. Ze zagen er rijk en knap uit en Rasmus hield zo veel van rij-

ke, knappe dames. Zo iemand zou hij als moeder willen hebben.

Kon hij er nu maar eentje op de kop tikken.

Zo langzamerhand had hij wel door dat het niet zo gemakkelijk zou zijn. De dames keken hem allemaal vol verwachting aan, maar dat was alleen maar omdat ze hem wilden horen zingen. Hem en Oskar. Oskar het allermeest.

Er was beslist niemand die dacht: 'Die jongen wil ik hebben.'

Rasmus slaakte een zucht. Maar nu begon Oskar te spelen en Rasmus moest hem helpen met zingen.

En weet ie wel wat er gebeurd is?
't Is waar, want 't gebeurde vandaag.
De koning van Noord-Amerika
kreeg een kogel door zijn maag...

Rasmus had algauw de woorden en de wijsjes onder de knie. En het duurde dan ook niet lang voordat hij alle bloederige liederen mee kon zingen.

„Tralala, hopsasa, falderaldera," zong hij, terwijl hij zijn ogen goed de kost gaf om te zien wie hij tot moeder wou hebben als hij mocht kiezen.

Een oude, knokige juffrouw zat aan een tafeltje heel dichtbij. Ze was kennelijk de bazin, want af en toe schreeuwde ze iets tegen de diensters. Verder zat ze constant te praten met de twee keurige heren aan haar tafeltje. Ze mocht die heren wel, dat was duidelijk te zien.

Ze hield haar hoofd een beetje scheef en lachte wanneer dat helemaal niet nodig was. En ze zei: „Beste mijnheer Lif, neemt u toch nog een koekje," en „Mijnheer Liander, mag ik u nog een beetje koffie inschenken?"

Het leek wel of ze niets liever wilde.

Maar de heren die Lif en Liander heetten waren ook echt mooi. Ze hadden witte strohoeden op, en allebei keurige snorretjes, en de een had zelfs een bloem in zijn knoopsgat.

„Tralala, hopsasa, falderaldera," zong Rasmus, en zijn stem stak leuk af bij Oskars lage stem.

Ze hadden gestreepte zomerpakken aan met smalle, heel smalle broekspijpen, en de een had schoenen als... schoenen als...

de koning van Noord-Amerika...

Rasmus hield opeens op, midden in het lied.

Schóénen had hij, lichtgekleurde schoenen, met zwarte randen... dat had mijnheer Lif!

Alle ellende van de ochtenduren kwam weer boven. Hij dacht weer aan het gejammer van mevrouw Johansson en de vreselijke stappen toen hij achter de bank lag. Het waren precies dezelfde schoenen die toen steeds dichterbij waren gekomen. Daarom kon hij nu niet zingen, omdat hij die schoenen zag die daar zo verschrikkelijk veel op leken.

Het hielp niet dat Oskar hem streng aanstaarde en zich afvroeg wat hem toch mankeerde. Hij kón gewoon niet meer zingen. Al was mijnheer Lif ook nog zo'n onschuldige man, alleen al het feit dat hij in zulke verschrikkelijke schoenen rondliep maakte dat Rasmus niet meer kon zingen. Hij walgde van die schoenen, hij had niet eens meer honger.

„Luister eens, Hilding, morgen beginnen we een beetje vroeger," zei de andere heer aan de tafel.

Hilding! Lif heette Hilding! Deze meneer heette Hilding, net zoals de rover, en hij had dezelfde schoenen als de rover.

„Ja, we moeten de dagen die we hebben maar goed benutten," zei mijnheer Lif.

Hij had ook al dezelfde stem als de rover.

„Maar u blijft toch wel de hele week?" zei de knokige dame bezorgd.
„Ja hoor, dat doen we. We vermaken ons hier best."
Rasmus vermaakte zich helemaal niet meer. Hij dacht ieder ogenblik flauw te zullen vallen.
Zodra Oskar klaar was met de koning van Noord-Amerika trok hij hem stevig aan zijn mouw om hem zo gauw mogelijk mee weg te krijgen.

„Wat moeten we nú doen?" vroeg Rasmus.
Ze lagen alweer in de bewuste kuil. De wereld was nog steeds slecht, en Rasmus had achter een den staan overgeven. Hij kon het eten echt niet in zijn maag houden nu er zoveel dingen waren waar je je bezorgd over moest maken.
Oskar trok aan zijn pijp en dacht een hele tijd na.
„Ja, nu zit er echt niets anders op dan dat ik naar de veldwachter ga, ach ja, ach ja! En dan maar zeggen dat ik dénk dat het die twee nobele heren uit het café zijn die mevrouw Johansson hebben beroofd. Maar hoe moet ik dat de véldwachter aan zijn verstand brengen, vertel me dat eens?"
Hij klopte zijn pijp uit en stopte hem in zijn rugzak.
„Mijn benen willen niet erg mee naar de veldwachter. Maar, kom op, het mot maar."
„Ja, en dat de hemel ons beware," zei Rasmus, net als tante Olga wanneer er inspectie op Zuiderveld was. En de veldwachter was nog iets veel ergers dan inspectie.
„Maar het zal lang duren voordat ik hier weer terugkom," zei Oskar. „Dan ga ik maar liever de boer op, hoor! Daar heb je tenminste geen dieven!"
Er was wel het een en ander veranderd in het kleine dorpje, terwijl ze weg waren. Nu stond er een massa mensen bij elkaar op de hoeken van de straten, en het was een geroezemoes van belang.

Van verre was te zien dat ze over iets heel bijzonders aan het praten waren en het was niet moeilijk te bedenken waarover het wel ging.

„Ik zou wat graag willen horen wat ze allemaal te zeggen hebben," zei Oskar. „En liefst voordat ik naar de veldwachter ga." Hij gaf Rasmus alweer een stuiver.

„Hier, koop er maar gauw een zak toffees voor en luister ondertussen aandachtig!"

„Ik zal luisteren totdat mijn oren ervan klapperen," zei Rasmus.

Hij holde door de straat totdat hij een kruidenier vond.

Door de glazen deur zag hij dat er heel wat mensen binnen stonden. Dat kwam goed uit. Nu moest hij een hele tijd wachten voordat het zijn beurt zou zijn, en dan kon hij fijn luisteren. Daarna zou hij toffees kopen. Vol verwachting maakte hij de deur open...

In paniek stormde hij een paar minuten later de deur weer uit. Hij was krijtwit in zijn gezicht.

„Oskar, we moeten ervandoor! Gauw!"

„Wat nu? Wat is er aan de hand?" Rasmus greep Oskar wanhopig vast.

„Oskar, Anna-Stina heeft tegen de veldwachter gezegd dat jij ze beroofd hebt."

Oskar sperde zijn ogen open, en werd rood van woede. „Ik! Ze kent me niet eens, ze weet niet eens hoe ik heet."

„Ze heeft gezegd dat er een landloper was gekomen met een trekharmonica en een jongetje. Toen hij klaar was met spelen was hij binnengekomen en hij had haar en mevrouw Johansson met een revolver bedreigd. Hij had de smaragden ketting van mevrouw Johansson meegenomen..."

Oskar sloeg met zijn vuist tegen zijn voorhoofd.

„Wat een schepsel, die meid! Als ze hier in de buurt was, zou ik al haar leugens in haar keel proppen, zodat ze daar bleven zitten. Maar wat zegt mevrouw Johansson?"

„Ze denken dat ze doodgaat. Ze kon niets zeggen, en ze ligt er net bij of ze dood is... Haar hart klopt nog maar flauwtjes, de dokter is er geweest."

De aderen op het voorhoofd van Oskar begonnen te zwellen. Hij zag knalrood van woede en sloeg alweer met zijn vuist tegen zijn voorhoofd.

„Ja, ja, dat is gesneden koek. Die meid kan liegen wat ze wil, en de veldwachter gelooft haar natuurlijk woordelijk."

Rasmus trok hem mee.

„Oskar, kom nou, we moeten weg!"

„An me nooit niet," zei Oskar boos. „Ik zal die meid bij de veldwachter de hoek in jagen, en dan mag ze me nog eens vertellen dat ik het gedaan heb, als ze dat durft!"

Rasmus kreeg tranen in zijn ogen en zei angstig: „Oskar, de veldwachter pakt je. Je hebt zelf gezegd dat hij landlopers niet gelooft. Als jij in de bak komt, dan..."

Hij zweeg. Hij durfde er niet aan te denken wat er zou gebeuren als Oskar in de bak kwam.

Oskar durfde het zelf kennelijk ook niet, want opeens kalmeerde hij. In elkaar gezakt bleef hij staan. Hij zag er diepbedroefd uit.

„Ja, als ik naar de veldwachter ga, dan is het met me gedaan, daar heb je gelijk in. Als ik zeg dat Lif en Liander het gedaan hebben, dan krijgt hij de hik van het lachen."

„En die meid staat maar te liegen," zei Rasmus.

Oskar knikte bevestigend.

„Ja, en mevrouw Johansson, die bijna dood is, kan mij ook al niet bijstaan. Als ik naar de veldwachter ga, dan is het met me gedaan." Hij greep Rasmus bij zijn arm.

„Kom maar mee, we gaan ervandoor voordat het te laat is."

Haastig trok hij de jongen met zich mee de straat op.

„Als het nog maar niet te laat is," mompelde hij.

Om hiervandaan te komen, waar iedereen op zoek was naar een landloper met een harmonica, dat zou niet gemakkelijk worden.

Maar ze hadden geluk. Langs allerlei stille achterafweggetjes wisten ze te ontsnappen. Algauw kwamen ze buiten het dorp op de grote weg.

„Hier rennen we als een paar rasechte moordenaars," zei Oskar, toen hij eindelijk zijn mond weer opendeed.

Rasmus ging iets langzamer lopen. Hij kon niet meer; hij was zo buiten adem dat hij nauwelijks kon praten.

„En dan ben je warempel onschuldig, Oskar."

„Onschuldig als een bruid!"

„Dat ben ik ook," zei Rasmus.

„Dat ben je," zei Oskar.

Hij keerde zich om, en keek woedend naar het kleine dorpje, dat met zijn daken boven de bomen uitstak.

„Fijn om weer op weg te zijn."

Dat vond Rasmus ook. Op de grote weg waren tenminste geen bandieten en rovers; de weg was rustig. Er bloeiden allerlei voorjaarsbloemen langs de slootkant en een heerlijk zoete geur van klaver steeg uit de weide omhoog. De zon was weg, het was stil als vlak voor een regenbui. Veilig als schepen op zee zeilden er dikke, grijze wolken langs de hemel. Daaronder kronkelde de weg, eenzaam en verlaten, zo ver het oog zien kon. Daar bij de horizon, waar de hemel en de weg elkaar ontmoetten, verdween hij regelrecht in de wolken.

„Waar gaan we nu naartoe?" vroeg Rasmus.

„Naar een plekje waar we ons goed kunnen verstoppen," zei Oskar. „Zo'n plekje heb jij nog nooit gezien, dat verzeker ik je."

9

Er ligt een verlaten dorp aan zee. Vijf grauwe boerderijen liggen tussen de even grauwe, kale bergtoppen. Het is allemaal even armetierig en uitgestorven. De zee wordt zelfs grauw wanneer er op een zomeravond wolken aan de lucht verschijnen. En zwaar van de regen hangt de nevel boven het dorpje waar geen mens woont.

Hierheen kwamen de landlopers. Als je je wou verstoppen dan was dit een prachtige plaats, want hier waren toch geen mensen. Hier woonden de eenzaamheid en de stilte.

„Oskar, waar zijn de mensen naartoe gegaan?" vroeg Rasmus. „Die in de huizen woonden?"

Oskar zat op een kale bergtop. Hij had zijn kousen en schoenen uitgetrokken, en liet de avondwind langs zijn blote tenen waaien.

„Die zijn met z'n allen naar Amerika gegaan, heel lang geleden."

„Wilden ze hier dan niet meer blijven wonen?"

„Nee, het werd ze natuurlijk veel te armoedig en ellendig in die huisjes hier. En er was natuurlijk te weinig vis in de zee. En de landerijen waren niet meer vruchtbaar." Rasmus knikte, dat begreep hij wel.

„Poeh, ja als je arm bent! Maar ze konden hier tenminste lekker zwemmen in het doorschijnend heldere water, dat tegen de klippen klotste. Zo'n plekje zouden ze vast in Amerika niet vinden."

„Ja, maar ze zouden dan altijd kunnen zwemmen in het heldere meer van Minnesota, als ze daar nu zo'n zin in hadden," vond Oskar.

Rasmus lachte. Het heldere meer van Minnesota, dat klonk prachtig. Daar zou hij zelf ook wel eens willen zwemmen. Hij zou trouwens alle zeeën, meren, bergen en rivieren op aarde wel eens willen zien. Hij probeerde zich voor te stellen hoe die mensen daar in Minnesota rondliepen, op zoek naar het heldere meer.

Misschien dachten ze dan wel aan de rotsen thuis en vroegen ze zich af wie er nu wel zouden wonen in hun grauwe huisjes aan de zee.

„Ik ga even kijken," zei Rasmus en hij holde naar het dichtstbijzijnde huisje. Hij wou zien of die landverhuizers nog iets achtergelaten hadden.

Door een kapot gewaaid raam zag hij een armoedig, klein keukentje, met zwartgeblakerde dakbalken en een verroeste kachel. Wat was het langgeleden sinds hier iemand zijn eten klaargemaakt had! Jammer dat al die huizen maar leegstonden. Wat waren ze eenzaam! Het leek wel of ze verlangden naar nieuwe bewoners, naar mensen die de kachel aan zouden steken, een fluitketel op zouden zetten en pap voor hun kinderen zouden koken.

Rasmus haalde een paar glasscherven weg uit de vensterbank en klauterde naar binnen. De grond was bezaaid met bladeren en allerlei rommel. Wat maakte dat een gek geluid onder zijn blote voeten!

Hij liep naar de kachel en gluurde onder het rookgat. Wanneer zou hier voor het laatst een vuurtje gebrand hebben? Maar eens was dit huisje toch een echt thuis geweest. Stel je voor dat je hier nu zomaar zou kunnen gaan wonen! Maar ja, als het een echt huis was, met mensen erin, dan mocht je als landloper toch niet verder dan de keukendeur komen. Dan hadden ze wel eigen kinderen en niet de minste behoefte aan een jongen uit een kindertehuis. Maar je kon net doen alsof... Hij rende naar het raam.

„Oskar, zullen we hier blijven?" riep hij.

„Ja, in ieder geval vannacht!" schreeuwde Oskar vanaf zijn rots. „Ik durf niet zomaar bij mensen in te gaan wonen, en bovendien ben ik mensenschuw."

Rasmus amuseerde zich best in de lege huizen van de landverhuizers. Hij holde ieder huis door, trap op, trap af, kamertje in, kamertje uit, en speelde dat hij er een wou kopen. Ten slotte koos hij een huisje uit dat beter beschut lag dan de andere en zodoende minder door weer en wind was aangetast.

Er waren daar een klein, nauw keukentje en een klein nauw kamertje, net als in alle andere huisjes, en een steil, wankel trapje gaf toegang tot een miserabel klein zolderkamertje. Maar het was in ieder geval een huis, en je kon altijd net doen alsof het een echt huis was.

Je kon ook haast net doen alsof Oskar je vader was. En als je dan je fantasie de vrije loop liet, dan kon je je best voorstellen dat Oskar een rijk koopman was, en helemaal geen landloper. Er was jammer genoeg geen koopmansvrouw, maar die was dan maar op reis – misschien wel naar Minnesota – en ze zou gauw terugkomen met een kanten parasol en een blauwe hoed met veren. Ze zou er heel mooi uitzien en ze had natuurlijk allerlei cadeautjes bij zich, voor hem en voor Oskar. En dan zouden ze met z'n drieën in het huis blijven wonen, heel rijk!

Maar in een huis moesten eigenlijk meubels zijn. Je moest tafels en banken hebben, zoals mevrouw Johansson, en kleden en gordijnen. Hij verlangde zo vurig naar meubels, dat ze uit de grond omhoog hadden moeten komen. Want het was zelfs Rasmus niet mogelijk om zich in deze kale ruimte een mahoniehouten tafel en een gebloemde bank voor te stellen.

Opeens herinnerde hij zich dat hij een eindje verder een vuilnishoop had gezien. Hij holde erheen. De mensen gooiden altijd zo veel weg; het was best mogelijk dat hij daar nog wat vond dat hij in zijn huis zou kunnen gebruiken.

Hij kwam terug met een lege aardappelkist, een paar margarinekistjes en nog een heleboel andere rommel.

De aardappelkist moest dan maar een tafeltje voorstellen, als hij hem behoorlijk in het water schoongeschrobd had.

Maar eerst moest het huis zelf schoongeveegd worden. Hij nam een tak met bladeren eraan, en veegde zo veel mogelijk rommel naar buiten. Daarna droeg hij zijn tafel naar binnen, en zette er een fles met bloemetjes op. De margarinekistjes werden zijn stoelen, en kleden en gordijnen kon hij zich wel voorstellen.

Oskar was verdwenen. Hij was in het bos dennentakken aan het zoeken, die als matras zouden dienen, en toen hij terugkwam schreeuwde Rasmus: „Kom hier met het beddengoed!"

Nu had Oskar niet zo'n groot voorstellingsvermogen, maar gelukkig begreep hij dat hij een keurige kamer binnenkwam. Hij had zijn armen vol geurige dennentakken en veegde netjes zijn voeten.

„Hier moet je je voeten goed schoonvegen, voordat je binnenkomt. Waar wil je de donzen bedden hebben, hier of in de salon, je zegt het maar!"

„Leg ze daar maar neer," zei Rasmus, op een hoek van de kamer wijzend.

Oskar spreidde de takken gehoorzaam uit tot een bed en Rasmus kreeg er steeds meer plezier in. Wat waren die groene takken prachtig! Ze konden als kleed en als bed dienen, en ze maakten de hele kamer gezellig.

„Een bof dat je alles zo gauw klaar hebt," zei Oskar. „Het gaat zo regenen."

Hij had het nog niet gezegd, of het begon werkelijk. Het spatte tegen de kapotte ruiten en het plensde op het dak en buiten werd het helemaal donker. Rasmus genoot. Nu was het nog veel echter!

„Zullen we wat eten?" vroeg hij aarzelend.

Ze hadden aan de kant van de weg wel het een en ander naar binnen gewerkt, maar dat was niet genoeg. En als je een tafel hebt dan wil je die ook wel gebruiken. Oskar had nog een heleboel over van wat hij gekocht had. Hij haalde brood, boter, kaas, ham en worst te voorschijn. Ze zaten allebei op een margarinekistje te eten, en ze luisterden naar de regen. Rasmus dacht bij zichzelf: 'Dit zal ik nooit vergeten. Nooit zal ik vergeten hoe gezellig we het hadden, die keer toen het regende en wij zaten te eten.'

Hij kon Oskar niet vertellen dat hij net deed alsof hij een huis had, een echt huis. En hij kon natuurlijk ook niet zeggen dat Oskar een rijke koopman was en dat zijn vrouw, met een blauwe hoed op, op reis was. Maar boven zijn grote boterham met worst uit keek hij zijn kameraad vol verlangen aan.

„Stel je eens voor, Oskar, dat je mijn vader was en dat we samen in een huis woonden!"

Oskar nam een grote hap.

„Nou, dat zou fijn zijn, hè! Een landloper als vader... dat zou je wel willen!" Rasmus dacht na. Eigenlijk wilde hij dat zijn ouders rijk en mooi waren. Een landloper had hij niet meteen bedoeld. Ach, was Oskar maar een rijke, mooie koopman!

De regen hield even plotseling op als hij begonnen was. De zwervers waren klaar met eten en zochten hun slaapplaats op. Oskar legde het stukje vilt, waarin hij zijn harmonica altijd gewikkeld had, over Rasmus heen.

'Mijn vader,' dacht Rasmus. 'Hij wikkelt de roze zijden deken om mij heen. Mijn moeder is in Minnesota en kan het dus niet doen. Zij zwemt daar in het heldere meer en schrijft brieven naar huis: 'Ik kom gauw thuis met allerlei moois, stop Rasmus 's avonds goed in met de roze zijden deken, ik kom gauw.'

Het werd donker buiten. Een zeewindje kwam opzetten. De golfslag werd krachtiger en de wind rukte aan de jonge berken. Wat een rare geluiden hoorde je binnen. De wanden knarsten en de kapotte ramen piepten en zuchtten. Ergens stond een deur te klapperen, onophoudelijk, totdat Oskar boos werd.

„Dat ding is me ook onvermoeibaar! Als je hier wilt slapen, dan blijf je wel wakker, dat verzeker ik je." Rasmus vond dat gepiep en gekraak maar eng. Met opengesperde ogen lag hij in zijn hoekje als een verschrikt dier in het donker te staren.

„Als het hier nou eens spookt," fluisterde hij. „Als wij eens gegrepen worden door een spook..." Maar Oskar was niet bang.

„Als jij soms een spook ziet, doe hem dan maar de groeten van me. En zeg maar dat hij ophoepelt, want anders komt de geluksvogel op hem af, en die maakt spokenpuree van hem."

Rasmus werd niet bepaald kalmer. „Tante Olga heeft eens een hond gezien zonder kop, en er kwam vuur uit zijn nek."

Oskar gaapte. „Tante Olga heeft ook geen kop, geloof ik. Spoken bestaan niet."

„Wel waar," zei Rasmus. „Weet je wat Grote-Peter zegt? Hij zegt dat... als je 's nachts twaalf keer om de kerk holt, dan komt er een spook te voorschijn, en dan ben je d'r bij."

„Daar heeft dat spook gelijk in. Wat heb je ook midden in de nacht om de kerk heen te rennen? Dat zal toch wel een stommeling zijn, denk ik zo, en dan is het zijn eigen schuld ook."

Oskar had er geen zin in om nog langer over spoken te praten, hij wou slapen. Rasmus was ook heel moe, al had hij in die kuil een poosje gedommeld. Hij wilde erg graag slapen, maar al dat gezucht en gepiep hield hem wakker.

Oskar begon al te snurken, maar zelf lag hij nog steeds te luisteren.

En toen hoorde hij stemmen. Ja, hij hoorde stemmen!

Grauwe, oude huizen kunnen heel goed zuchten en kraken in de nachtwind, maar als je stemmen hoorde, konden het alleen maar spoken zijn. Met een angstschreeuw drukte hij zich tegen Oskar aan.

„Oskar, daar komen de spoken, ik hoor ze praten!"

Slaapdronken ging Oskar rechtovereind zitten in de dennentakken.

„Praten... wie praten er?" Hij werd nu pas echt wakker en begon gespannen te luisteren. Ja, Rasmus had gelijk. Vlakbij hoorde hij iemand praten.

„Daar heb je het al, nu moet ik weer naar de veldwachter," fluisterde Oskar. Hij kroop naar het raam en bleef daar op zijn knieën in het halfduister zitten staren. Rasmus keek ook uit; hij was doodsbang en beet op al zijn nagels.

„Nu pakken we het hele boeltje maar en gaan ervandoor," hoorden ze een stem zeggen. De man stond vlak buiten het raam, en het was zeker de veldwachter niet.

„Laat mij dat nou maar doen," zei iemand anders. Die stem herkende Rasmus. De stem van Hilding Lif zou hij uit duizend stemmen kunnen herkennen.

Rasmus kneep in de arm van Oskar, hij kneep heel hard, want... buiten stonden Lif en Liander. Dit was veel erger dan spoken en de veldwachter bij elkaar.

En nu kwamen ze binnen – help! – ze kwamen het huis binnen; nu waren ze in de keuken, hij hoorde de grond onder hun voeten kraken. Wat deden ze hier midden in de nacht, en was er dan niet één plaatsje op de wereld waar de rovers je met rust lieten?

Ze waren druk aan het praten en de deur tussen de keuken en de huiskamer stond open; je kon ieder woord horen dat er in de keuken gezegd werd.

„Ja, maar ik geloof dat het gevaarlijk is nog langer te wachten," zei de andere stem. „Ik wil er meteen vandoor."

„Nee, nee, nee," zei Lif, „nu niet zenuwachtig worden en alles verknoeien! Het is helemaal niet goed om nu halsoverkop weg te rennen, omdat die vrouw haar ketting mist, begrijp je. Nee, we blijven tot het eind van de week in dat hotelletje, dat staat prachtig. We zijn helemaal niet in Westholm geweest, begrijp je, we hebben een zuiver geweten. Je gaat geen twee weken in een hotel logeren, een paar kilometer van Westholm, als je geweten niet zuiver is, snap je?"

„Ja, dat begrijp ik," zei Liander. „Want je hebt het al wel veertien keer gezegd. Maar ik wil er toch maar met het geld vandoor gaan, want ik zie ons al met ons reine geweten net zo lang in dat hotel zitten totdat we de bak in gaan."

„We doen dus wat ik gezegd heb," zei Lif. „Zaterdagochtend halen we de buit en dan nemen we rustig de trein van twee uur. En geen levende ziel haalt het in zijn hoofd ons te verdenken."

Nu klonk het alsof ze met een paar losse planken bezig waren.

Toen hoorden ze de zware stem van Lif tevreden mompelen: „Dat doet me goed, zo'n vette buit te zien!"

Een poosje was het helemaal stil, toen zei Lif: „Ik denk dat de ketting ook wel vijf-, zesduizend waard is."

„En toch zou ik er niks meer mee te maken willen hebben," zei Liander. „Die affaire in Westholm was helemaal in orde, maar dit met Anna-Stina is helemaal niet in orde. Ik vind het prachtig dat jij opeens weer met een oude, afgedankte verloofde gaat beginnen, maar záken met vrouwen, mij niet meer gezien!"

„Ben je zenuwachtig?" vroeg Lif spottend.

„Zenuwachtig... ik heb geen goed voorgevoel. Wat gaat er gebeuren als dat oude mens weer bij haar positieven komt?"

„O, dat gebeurt niet. Die is al oud genoeg geworden."

„Als, zeg ik. Als ze weer bijkomt en zegt hoe de zaak in elkaar zit, en als de veldwachter Anna-Stina uithoort over die landloper... Die stomme meid had de schuld nooit op die landloper moeten gooien... Want als de veldwachter doorheeft dat ze toen gelogen heeft, dan weet hij na twee minuten ook dat wij de rovers zijn. En dan nog eens twee minuten, en hij weet dat wij de Westholm-overval gepleegd hebben."

„Kalm een beetje," zei Lif. „Je hebt al de hele dag zitten zeuren, ik heb er nu genoeg van. Anna-Stina is niet helemaal gek en dat mens doet heus geen mond meer open."

Liander gromde ontevreden.

„En we hebben een prachtplaats voor de buit," zei Lif. „Veel beter dan wanneer je het in het bos begraaft; gemakkelijk te vinden, en toch een plaats waar geen mens komt."

„Als je hier maar niet meer komt voor zaterdag," zei Liander zuur.

Lif werd boos.

„Vertrouw je me niet?" Liander liet een schor, droog lachje horen.

„Vertrouw je me niet, zei de vos, en hij beet de kop van de kip af, ja hoor, ik vertrouw jou net zo veel als jij mij."

Rasmus kneep nog eens in de arm van Oskar, hij kon het haast niet meer verdragen. O, wat was het opwindend! Het was verschrikkelijk dat er mensen waren, die wensten dat andere mensen dood zouden gaan. En het was verschrikkelijk om die gruwelijke rovers zo vlak bij je te hebben. Hij wou dat hij ver weg was, dat wilde tenminste een deel van hem. Het andere deel wilde achterblijven om te zien wat er zou gebeuren; dat deel was vol wilde lust op avontuur.

Hij spitste zijn oren en hoorde hoe ze alweer met die planken bezig waren. Nu verborgen ze het geld natuurlijk. Wacht maar, tot ze weg waren!

„Zullen we dan maar gaan?" vroeg Lif.

„Ja," zei Liander.

Rasmus zuchtte van verlichting, maar toen gebeurde er iets verschrikkelijks, want Lif zei: „Even kijken of ik mijn pijp kan vinden die ik de vorige keer vergeten heb. Ik geloof dat hij ergens binnen in de vensterbank lag."

'Ergens binnen', dat kon alleen maar betekenen: binnen in de kamer, waar Rasmus en Oskar in een hoekje waren gekropen. Rasmus drukte zich steviger tegen Oskar aan, zo bang dat hij er duizelig van werd.

Hij voelde hoe Oskar zijn armspieren langzaam spande, klaar om terug te slaan... maar de rovers hadden toch revolvers... hun laatste uur had nu zeker geslagen!

Haastige stappen kwamen dichterbij, de deur werd opengerukt en het licht van een zaklantaarn scheen over de vloer. En midden op de vloer stonden immers de meubels van Rasmus. Maar de lichtkegel flitste even over de suikerbus, de rover vond er zeker niets vreemds aan. Hij gaf geen schreeuw, hij was niet verbaasd; maar dat zou hij wel worden als hij Rasmus en Oskar in het oog kreeg! Ze drukten zich steeds verder in hun hoekje en de armspieren van Oskar werden steeds steviger gespannen. Maar toen...

„Hier ligt je pijp, in de vensterbank," hoorden ze Liander roepen vanuit de keuken.

Lif keerde zich vlug om. De gevaarlijke lichtkegel verdween en de rover liep de kamer uit. Zonder de twee in de hoek te ontdekken. Het was een groot wonder, want zelfs in het donkerste hoekje was het niet helemaal duister. Maar de man die een klein pijpje zoekt, let misschien niet zo op een grote landloper!

„Hoe kan dat nou?" zei Rasmus, toen ze verdwenen waren in de winderige nacht en hij weer durfde te praten.

„Kom," zei Oskar, en hij pakte zijn zaklantaarn. „Kom, dan gaan we eens een kijkje nemen in die goeie bergplaats van hen, die zo gemakkelijk te vinden is. Dat zal me interessant worden!"

Ze snelden naar de keuken, en Rasmus zag al een enorme hoop stuivertjes voor zich.

Oskars zaklantaarn bescheen de kale vloerplanken. Hij voelde bij iedere plank met zijn voet of die vastlag.

„Daar hebben we het!" Gretig maakte hij een plank bij de kachel los, en toen nog een, en nog een... Met zijn zaklantaarn scheen hij nu in het gat eronder. Het was een vierkante opening, en daarin lag een groot pak, goed in zeildoek gewikkeld. Hij maakte het pak open.

„Oooh," zei Rasmus.

In keurige pakjes naast elkaar lagen de briefjes van honderd en de briefjes van duizend opgestapeld, het hele weekloon van de fabriek in Westholm. Het waren geen stuivertjes, maar Rasmus kon aan de verschrikte ogen van Oskar zien dat dit ook geld was.

„Bestaat er zoveel geld op de wereld?" zei Oskar. „Dat had ik niet gedacht."

Er lag ook een ketting, een gouden ketting met een hanger vol grote groene stenen. Zoiets moois had Rasmus nog nooit in zijn leven gezien, maar hij had ook nog niet zo veel gezien.

Hij zuchtte tevreden.

„Wat fijn, nu kan mevrouw Johansson haar ketting terugkrijgen. Als ze nog leeft..." Oskar liet de gouden ketting tussen zijn vingers door glijden. „Ik hoop dat ze nog leeft. Ik hoop dat ik nog eens 'In ieder woud is wel een bron' voor haar kan zingen. Dan geeft ze me vijftig cent."

„Morgen," zei Rasmus stralend. „Morgen gaan we met het geld naar de veldwachter, en met de ketting naar mevrouw Johansson."

Oskar schudde zijn hoofd.

„Nee, dat doen we beslist niet. Alles moet op listige wijze geschieden, zei de vrouw, en zij greep de vlooien met haar tenen."

„Ja, maar, wat moeten we anders doen?" vroeg Rasmus.

„Ik steek mijn neus niet meer in dat wespennest. Met meiden, die liegen, en met al dat gezanik en 'Wat heeft Oskar donderdag gedaan?' Nee hoor, we verbergen alles op een andere plek en schrijven weer een brief naar de veldwachter: 'Haal alstublieft het geld op, anders bent u het kwijt.' En dan gaan jij en ik er weer vandoor, en we laten de veldwachter de rest opknappen. Hij verdient er zijn brood mee en ik ben tenslotte zijn knechtje niet."

Oskar pakte zijn rugzak en begon het geld erin te proppen.

„Als de veldwachter me nou maar niet tegenkomt met de halve rijksbank op mijn rug, want dan draai ik levenslang de bak in." Hij pakte de ketting en hing hem Rasmus voor de grap om zijn nek.

„Laat jij nou ook eens mooi zijn. Je lijkt koning Salomo wel, in al zijn pracht en praal. Maar je hebt wel wat meer sproeten."

Daar stond koning Salomo, in het schijnsel van de zaklantaarn, met dunne armpjes en beentjes, en met groene smaragden om zijn hals.

„Ja, en steil haar heb ik ook," zei hij en het klonk een beetje treurig.

Hij deed de ketting weer af. Hij wou hem niet langer om hebben.

Maar hij had nauwelijks tijd om hem af te doen. Want nu hoorden ze het weer, de stemmen!

10

„Vlug," fluisterde Oskar. „Vlug, hiervandaan!"

Ze renden de vestibule in. Maar het was te laat. De stemmen waren er al, vlak voor de buitendeur. Die weg konden ze dus niet nemen.

„Gauw, de zolder op!" Oskar duwde Rasmus razendsnel de steile, gammele trap op, naar de zolder, waar Rasmus tevoren zo vrolijk had rondgehold. Nu struikelde hij als een zieke. Hij voelde zich trouwens ook ziek, ziek van angst voor die beide mannen die nu de buitendeur openrukten en de vestibule binnenkwamen.

Oskar en Rasmus bleven plotseling staan op de trap, ze durfden zich niet meer te bewegen. Ze durfden nauwelijks adem te halen, uit angst dat dat alleen al hen zou verraden. Rasmus staarde in doodsangst naar de twee zwarte schaduwen daarbeneden, zij maakten van het leven een nachtmerrie, wat verafschuwde hij ze!

„Nee, je hebt gelijk, de vorige keer waren hier geen kisten." Dat was de stem van Lif. Nu rukte hij de keukendeur open.

„Sufferd, dat je dat niet meteen gezegd hebt, je ziet toch dat er hier een hele dozenfabriek bij elkaar staat," zei Liander kwaad. „Je had toch wel kunnen begrijpen dat die dozen hier niet vanzelf naartoe gewandeld zijn!"

„Ik bedacht het pas later," zei Lif. „Je weet hoe dat gaat: je ziet iets, en je ziet het toch eigenlijk niet. En dan opeens flitst er door je heen... pang... dan flitst er door je heen... waar in vredesnaam komen die dozen toch vandaan?"

„Je ziet het en je ziet het niet, zoiets kun je je in ons vak niet permitteren. Maar nu een-twee-drie, weg met die buit!"

'Ha, de buit is al weg,' dacht Rasmus triomfantelijk, ondanks zijn schrik.

Maar het volgende ogenblik was hij niet meer triomfantelijk. Want een kreet van woede, gevolgd door een razend geschreeuw van Lif, steeg uit de keuken op.

„Gauw erachteraan! Ze kunnen nog niet ver zijn!"

En nu stormden ze de vestibule in. Razend als bloedhonden. Ze stortten zich op de deur, om te zoeken, te zoeken naar hun onbekende vijand, die hun buit meegenomen had, en om hem een kopje kleiner te maken als ze hem ontdekten. Ze waren al bijna buiten, toen Lif plotseling stilstond.

„Stop! Eerst kijken of ze soms nog in huis zijn. Hierbeneden is niemand, maar boven op zolder misschien wel."

Hij holde de trap op, regelrecht tegen de gebalde vuist van Oskar aan. Een schreeuw, en hij tuimelde achterover in Lianders armen.

Rasmus schreeuwde ook achter de brede rug van Oskar. Hij jammerde, want hij zag Liander zijn revolver voor de dag halen, en hij hoorde hem met een stem die trilde van woede uitroepen: „Eén stap en je gaat eraan!"

Lif was ondertussen weer overeind gekomen. Het licht van zijn zaklantaarn gleed over de twee boven aan de trap. Hij brieste van woede toen hij koning Salomo in al zijn pracht ontdekte.

„Dat joch heeft de ketting om!"

De rovers staarden hem aan alsof ze hun ogen niet geloofden.

„Rennen, Rasmus!" schreeuwde Oskar. Hij stond breeduit voor de smalle trap naar de vliering. „Rennen," schreeuwde hij met donderende stem.

En Rasmus rende. Als een opgejaagde rat snelde hij de trap op, over de vliering naar het kleine kamertje, waar de wind de lege raamkozijnen deed rammelen. Buiten het raam was het schuine dak. Hij sprong dwars door het raamkozijn en kwam op het dak terecht. Gelukkig kon hij goed op daken klimmen en hij kon ook goed springen. Het was een sprong van een paar meter tot aan de grond, maar hij had wel van de kerktoren willen springen als dat nodig was geweest. Hij kwam lelijk op zijn knieën terecht, maar hij had geen tijd om eraan te denken. Hij was een doodsbange muis die door een kat achternagezeten werd. Hij hoorde Lif al om de hoek komen, klaar om hem dood te schieten, en hij rende alsof zijn leven ervan afhing.

Ja, zijn leven hing ervan af, dat voelde hij.

O, alle landverhuizers, als jullie eens wisten wat er vannacht in jullie grauwe dorpje aan de zee gebeurt! Daar holt een angstig jongetje met smaragden om zijn hals tussen de huizen door, en een rover rent achter hem aan. Geen mens kan hem helpen. Want de grauwe huisjes zijn stil en verlaten; het is leeg en dood achter hun ramen. Geen vriendelijke hand opent een deur in de winderige zomernacht, geen vriendelijke stem roept door een open raam: 'Kom maar binnen, dan verbergen wij je!'

Nee, hij moet zich helemaal alleen uit de moeilijkheden redden, dit jongetje op blote voeten, met een blauwgestreept bloesje aan, met een verstelde broek, en met een smaragden ketting om zijn hals.

Plotseling zoekt hij bescherming achter een huisje. Vroeger heette het de Anders-Hoeve, maar dat weet de jongen niet die hier aan komt hollen, vele jaren nadat Anders naar Amerika is vertrokken. Een seconde staat hij met bonzend hart stil, om te verzinnen welke kant hij op zal gaan. Hij heeft er nauwelijks tijd voor, want nu komt zijn vervolger de hoek al om snellen. Zijn haren fladderen in de wind, hij is nu geen keurige meneer meer met een strohoed op, maar niets anders dan een wanhopige rover, die tegen iedere prijs de jongen te pakken moet krijgen.

In paniek snelt Rasmus voort. Hij holt hard, maar zijn achtervolger heeft zulke lange benen dat hij nog harder holt. Hij haalt hem in, hij komt dichter- en dichterbij. Als Rasmus even omkijkt, ziet hij de lange benen en de fladderende haren vlak achter zich.

Naast de Anders-Hoeve ligt de Niels-Hoeve, met allerlei bijgebouwtjes. Achter het oude houtschuurtje van Niels blijft Rasmus plotseling staan. Doodstil blijft hij angstig zijn vijand afwachten. Daar komt hij. Maar hij suist voorbij. Hij ziet de jongen niet, die zich tegen de muur van het houtschuurtje aandrukt. Een paar seconden kan Rasmus rustig ademhalen. Maar de kat krijgt de muis weer in het oog en Lif ziet dat zijn slachtoffer weer terug naar de Anders-Hoeve rent. Hij zet het op een lopen achter hem aan. Rasmus holt, hijgt en holt. Hij heeft een behoorlijke voorsprong, maar tegen Lif kan hij echt niet op.

Hij moet een schuilplaats vinden, en het moet snel gebeuren ook. De Anders-Hoeve, hij rent ernaar binnen, wat zijn er nou in vredesnaam voor schuilplaatsen in een leeg huis? Daar staat een kist voor houtblokken. Heel veel kinderen hebben in de loop der tijden verstoppertje gespeeld in de Anders-Hoeve. Wat zullen ze vaak in deze kist gekropen zijn, en wat zullen ze vaak tevreden grinnikend het deksel dichtgeschoven hebben. Maar nooit zal er iemand met zo'n bonzend hart als dit jongetje in de kist gezeten hebben, wachtend op de meedogenloze handen die hem uit zijn schuilplaats komen rukken. De muis zit in de muizenval; als Lif hem ontdekt is hij verloren.

En daar komt Lif. Rasmus hoort zijn stappen op de keukenvloer. De rover is nu vlakbij, ieder ogenblik kan hij het deksel oplichten. Maar waarschijnlijk heeft hij nooit verstoppertje gespeeld: in ieder geval weet hij niets van houtkisten. Want hij stormt verder, de kamer binnen, de trap op, de zolder over.

Hij weet immers dat de jongen ergens in huis moet zitten, hij schreeuwt en vloekt van razernij.

Rasmus is alweer buiten. Hij hoopt dat hij Lif nu een poets gebakken heeft, o, had hij nu toch maar rust.

Maar door het zolderraam ziet Lif het jongetje met blote voeten over het erf hollen; de magere beentjes lijken wel trommelstokjes.

In drie sprongen is de rover beneden, en weer achter hem aan, onverbiddelijk als het noodlot.

Nu gaat de jacht verder langs de oude dorpsstraat. Vroeger reden hier ossenwagens met haver voor Anders en met hooi voor Niels, en op zomeravonden speelden de kinderen hier allerlei spelletjes.

Nog nooit heeft iemand er voor zijn leven moeten hollen. Maar nu holt er een jongetje op blote voeten met een rover achter zich aan.

De straat door, naar het water. Is het kind van plan in het water te springen?

De rover gaat harder lopen. Hij wil er nu een eind aan maken.

Een gammel vlondertje en een nog gammeler botenschuurtje! In wanhoop holt Rasmus eroverheen, het buigt door onder zijn voeten en het buigt nog veel meer door onder de zware last van Lif. Maar de rover lacht triomfantelijk, want nu heeft hij de jongen te pakken.

Rasmus had niets stommers kunnen doen. Er is toch immers geen weg terug. Hij is erbij als hij niet in het water wil springen en verdrinken.

Het steigertje maakt een bocht. Rasmus holt verder. Zijn blouse is uit zijn broek gekropen en fladdert om hem heen. Het laatste wat Lif ziet, is een blauwgeruite slip, als Rasmus achter het afdakje voor de boten verdwijnt.

De vlonder kraakt. Lif heeft hem bijna. Nu... nu zal dat joch zijn verdiende loon krijgen! Ook Lif stormt de hoek om bij het afdakje.

Dan is het uit met zijn donderende voetstappen. Alleen een vreselijk gespetter en geplas is te horen! Mijnheer Lif kan niet eens meer vloeken, voordat de zilte golven van de zee over hem heen slaan.

Hij probeert het nog wel, maar je hoort alleen maar zachtjes 'blub'.

Heel even is Rasmus bijna gelukkig: dat had hij tenminste geleerd op het ouwe trouwe Zuiderveld! Behalve aardappelen rooien leerde je er ook pootje haken.

Hoestend en proestend komt Lif weer boven. Hij blijft niet in het water, al kun je er nog zo lekker zwemmen. Als een woedende spin klautert hij de steiger weer op. Rasmus weet dat hij dadelijk zal gaan huilen; hij ziet in dat hij niet aan deze afschuwelijke man zal kunnen ontkomen. Maar hij zal zijn uiterste best doen. Hij zal hollen tot hij erbij neervalt. Dat zal trouwens wel niet lang meer duren, want zijn hart barst bijna van al het bonken.

Weer terug de vlonder over. De dorpsstraat weer in. Over het erf van Niels. Het erf van Anders op. Een ellendige droom is het!

Hij heeft een voorsprong, maar zijn vijand komt weer achter hem aan, druipend en onontkoombaar.

Daar is de aardappelkelder van Anders. Rasmus is er al eerder in geweest toen hij de huizen aan het bezichtigen was. Hij deed toen net alsof hij vijftig zakken aardappelen had, waar aardappelmeel van gemaakt moest worden.

Volkomen afgemat vlucht hij de donkere kelder in. In zijn wanhoop hoopt hij maar dat Lif misschien niet zo dichtbij is dat hij op het idee komt om hier te zoeken. Al heel gauw moet hij deze hoop weer opgeven.

Daar komt Lif. Boos en nat is hij, en bezeten van razernij omdat die jongen het hem zo lastig maakt. Hij stormt regelrecht naar binnen... Maar je leert op Zuiderveld nog wel andere kunstjes dan pootje haken. Je leert er om aan de binnenkant van een deur op de loer te staan, en om er bliksemsnel uit te rennen zodra je tegenstander naar binnen is gestormd. Dat doet Rasmus op dit ogenblik.

Snel als een wezel vliegt hij naar buiten en in paniek slaat hij de kelderdeur dicht en draait hij de roestige sleutel om.

Pas als hij Lif hoort brullen begrijpt hij wat hij heeft gedaan. Vol schrik en vol triomfantelijke gevoelens beseft hij dat hij zijn vijand heeft opgesloten in de oude aardappelkelder van Anders. Lif weet natuurlijk niet dat juist dit de kelder van Anders is.

Maar nu kan Rasmus wel huilen van verlangen naar Oskar. Zijn benen bibberen. Hij is doodop. Hij heeft helemaal pijn van verlangen naar Oskar. Maar misschien is Oskar wel dood...

Zo snel hij kan, sluipt hij terug naar zijn 'eigen' huis. Heel voorzichtig komt hij dichterbij. Hij weet immers niet waar Liander is, waar Oskar is.

Het begint dag te worden. Weldra zal de zon opgaan over het oude dorpje van de landverhuizers, waar vannacht niemand geslapen heeft.

Rasmus gaat op zijn buik in het gras liggen en kronkelt zo naar het keukenraam. Langzaam richt hij zich op. Op zijn knieën kijkt hij door het lege raam, waaruit de ruiten al lang geleden zijn verdwenen.

Heel dichtbij stond Liander met zijn rug naar het raam gekeerd. En bij de kachel stond Oskar met zijn handen in de lucht. Liander had zijn revolver getrokken en aan zijn voeten lag de rugzak van Oskar.

„Schiet maar," zei Oskar. „Een landloper meer of minder, dat doet er niet toe."

„Ja, je begrijpt dat mijn vingers jeuken," zei Liander. „Ik schiet je niet doormidden omdat ik de veldwachter niet teleur wil stellen. Hij wil je zo graag in de bak zetten, wegens de overval in Westholm. Daar heb je zeker wel van gehoord, hè? En omdat je mevrouw Johansson beroofd hebt, daar heb je ook zeker van gehoord?"

„Dat er zulke zwijnen als jij rondlopen," zei Oskar rustig. „Maar als ik nou eens aan de veldwachter ga vertellen wat jij en Lif voor schooiers zijn?"

Rasmus kreeg tranen in zijn ogen. Hij wist drommels goed dat de veldwachter een landloper nooit zou geloven, en dat wist Oskar ook.

Liander liet een afgrijselijke lach horen. „Ja, ja, dat kun je proberen."

„Maar was je daarnet zelf niet een beetje ongerust?" vroeg Oskar. „Dat mevrouw Johansson weer bij zou komen, en het een en ander zou kunnen vertellen? Bijvoorbeeld dat Anna-Stina gelogen heeft. Stel je eens voor dat mevrouw weer bijkomt."

„Ze wordt niet meer beter," zei Liander zacht. „Na wat hier vannacht gebeurd is, voel ik dat mevrouw Johansson nooit meer beter wordt. Dat risico nemen Anna-Stina en wij trouwens niet."

Rasmus kneep zijn handen in elkaar. Van alle kwaadaardige mensen op de wereld waren Lif en Liander wel het allerergste. Bij het horen van deze woorden van Liander kreeg Rasmus een naar gevoel in zijn buik.

„Jij grote ezel, het is allemaal jouw schuld," ging Liander verder. „Waar bemoei jij je in vredesnaam mee? Net goed dat de veldwachter jou in de bak stopt! Neem het maar niet zo zwaar, hoor. Ik kan je vertellen dat er wel ergere dingen zijn dan gevangenissen."

„Ja, dat weet jij natuurlijk precies," zei Oskar. „Nou, ik verzeker je dat ik mijn best zal doen het je nog eens te laten ondervinden!"

„Dan ben jij een nog grotere idioot dan ik dacht," zei Liander. „Begrijp je dan niet dat je zelf hopeloos in de val zit, als jij ons probeert aan te geven? Als je nog een beetje verstand in je bol hebt, dan maak je dat je wegkomt, je kletst niet en je vertoont je nooit meer in deze omstreken."

„En nooit meer een rustig ogenblik, uit angst een politieagent te ontmoeten," zei Oskar bitter. „Als ik eens kon begrijpen hoe er zulke schooiers als jij en Lif kunnen bestaan. O, wat zou ik je graag een flink pak rammel geven!"

Rasmus knikte vol instemming, op zijn plekje voor het raam. Wat heerlijk zou het zijn als Oskar Liander er eens geducht van langs kon geven. Oskar was sterk als een beer, veel sterker dan Liander. Maar Liander had die afgrijselijke revolver, die hij maar onophoudelijk op Oskar gericht hield. Had hij die revolver maar niet...

Er lag een stuk hout op de grond onder het raam. En zonder precies te weten wat hij deed raapte Rasmus het op. Hij ging te werk als in een droom. Hij dacht niet na, maar pakte het houtblok, stond razendsnel op, en smeet het zo hard hij kon precies tegen de rechterelleboog van Liander.

Liander gaf een schreeuw van pijn en woede; in een prachtige bocht vloog de revolver over de keukenvloer. Tevreden brommend wierp Oskar zich boven op Liander en samen rolden ze over de vloer. Als aan de grond genageld van schrik stond Rasmus toe te kijken. Hij stond te springen en op zijn nagels te bijten van zenuwachtigheid; hij had er nooit tegen gekund om mensen te zien vechten.

En hier werd gevochten dat de stukken ervan afvlogen. Liander was nog behoorlijk sterk, en rollend en steunend probeerden ze allebei de revolver te pakken te krijgen.

De revolver... opeens werd Rasmus weer wakker geschud. De revolver! Onder geen voorwaarde mocht Liander de revolver bemachtigen!

Zo snel als zijn trillende benen maar konden rende Rasmus de keuken in. De vloer golfde er helemaal. Ze bleven maar rondwentelen, zodat er nauwelijks een plaatsje voor Rasmus overbleef, tussen alle krioelende armen en benen. Daar lag de revolver, en Liander strekte zijn hand ernaar uit... hij was er bijna...

Rasmus gaf het zwarte ding een flinke schop, zodat het in een hoek terechtkwam.

Met bevende handen pakte hij het daarna op, alsof het een adder was. Hij kon die afschuwelijke revolver gewoon niet lang in zijn hand houden, en ook kon hij het niet meer verdragen om ze daar zo te zien kronkelen over de vloer.

Met de revolver tussen zijn vingertoppen holde hij naar buiten. Hij had dolgraag willen overgeven, maar daar had hij geen tijd voor. Hij stond zachtjes voor zich uit te snikken en hij zag de storm door de berkentakken gieren.

De zon was juist opgekomen vanachter de eilandjes in zee, de koppen van de golven glinsterden en de meeuwen waren juist wakker geworden. Ze vlogen over het dorp en krijsten alsof ook zij bang waren. Maar dat waren ze zeker niet. Alleen Rasmus was bang. En hij was zo moe dat hij het liefst maar wou gaan liggen en doodgaan.

Hij wilde nóg iets. Hij wilde die revolver kwijt. Huilend holde hij over de rotsen. De storm duwde hem voort zodat hij nauwelijks overeind kon blijven. Maar eindelijk kwam hij bij de badplaats van de landverhuizers. Nog even bekeek hij de revolver met een blik vol afschuw. Toen slingerde hij het ding zo ver mogelijk het blauwgroene water in. Zodra hij dat gedaan had begreep hij dat het misschien wel helemaal verkeerd was geweest. Oskar had de revolver misschien wel als verdedigingsmiddel nodig gehad. Maar nu was het te laat. De revolver lag tien meter diep tussen de vissen en zou daar in alle eeuwigheid blijven liggen.

Hij sleepte zich weer terug over de rotsen. Oskar kwam hem al tegemoet met gescheurde kleren en wilde haren en met zijn rugzak op zijn rug; grimmig en tegelijkertijd tevreden. Rasmus wou wel weer gaan huilen toen hij hem zag, maar slikte een paar keer om de brok in zijn keel terug te duwen.

„Kom, dan gaan we," zei Oskar.

„Liander?" zei Rasmus vragend.

„Liander doet een dutje bij de kachel. Maar waar is Lif?"

„Die heb ik opgesloten in de aardappelkelder," zei Rasmus moe.

Oskar keek hem aan en grijnsde.

„De koning der strijders," zei hij. „Jij bent niet bang, ventje."

„Jawel, ik ben verschrikkelijk bang," zei Rasmus en hij begon te huilen. „Lif komt vast weer gauw te voorschijn, want de kelderdeur is zo vermolmd."

„Waar heb je de revolver?" vroeg Oskar.

„Die heb ik in zee gegooid," zei Rasmus, en hij begon nog harder te huilen. Nu werd Oskar natuurlijk boos op hem, want hij had de revolver nodig als Lif naar buiten kwam.

Maar Oskar werd niet boos. Hij knikte alleen maar en zei: „Ja, ja, het is maar goed zoals het is, zei de man toen zijn haar in brand vloog. Wij kunnen niet met revolvers omgaan, jij en ik. Maar nu moeten we hier maar eens gauw vandaan."

Rasmus zuchtte. Hij kon niet harder lopen. Hij kon echt niets meer.

Smekend keek hij Oskar aan. „Ik kan maar één ding, Oskar. Ik kan alleen maar slapen!"

11

Nu was hij terug in Zuiderveld. Nu kon juffrouw Haviks hem ieder ogenblik komen vertellen dat hij brandnetels moest plukken. Want hij werd wakker van het zo bekende, onnozele gekakel van die domme kippen, die hij zo verafschuwde.

Voorzichtig deed hij zijn ogen open. Ja, daar stapten een paar kippen om hem heen. Maar dit waren gelukkig de kippen van Zuiderveld niet, dit waren volkomen vreemde, bonte kippetjes. En hij lag op de grond in een kamer waar hij nooit eerder was geweest. Er was een open haard en voor die open haard zat Oskar samen met een oud, grijs vrouwtje koffie te drinken. Ze hadden hun koffie op de schoteltjes gegoten en zaten al blazend druk met elkaar te praten.

„Zielig eigenlijk voor die landlopers dat ze altijd maar rond moeten trekken," zei het mensje vriendelijk. „En ze komen ook al niet in de hemel."

„Dat heb je bij het verkeerde eind, Kleine-Sara," zei Oskar. „Jij gelooft warempel dat jij in de hemel komt alleen maar omdat je hier stilletjes bij de kachel zit. Maar het kan wel eens anders aflopen."

Het vrouwtje stak een suikerklontje in haar tandeloze mond en knikte eigenwijs. „Je zult het wel zien. Je zult wel zien hoe het gaat."

Rasmus rekte zich uit, want hij wilde dat Oskar merkte dat hij wakker was. Maar het oude vrouwtje merkte het al eerder.

„Jij wilt ook zeker wel een kop koffie, hè?" vroeg ze, en ze keek hem met haar onschuldige oogjes goeiig aan. „Koffie en een stuk brood, jij moet nog heel wat brood eten voordat je een kerel bent."

Oskar begon te lachen en wees op Rasmus. „Die daar, dat is me een kerel, dat kan ik je vertellen, Kleine-Sara. De koning der strijders, dat is hij. Maar een stuk brood heeft hij toch wel nodig."

Toen herinnerde Rasmus zich de lange uren van deze nacht, waarin hij de koning der strijders geweest was; hij had er nog pijn van in zijn botten. Maar hoe hij naar het huisje van Kleine-Sara gekomen was herinnerde hij zich niet. Vaag wist hij nog dat Oskar hem had gedragen, en dat er meeuwen boven hun hoofden hadden gefladderd, krijsend en schreeuwend.

Hij keek eens rond in de kamer, waar de kippen rondliepen alsof ze er woonden. Het was een armelijk kamertje, vol rommel en viezigheid. Maar het was heerlijk om er te zijn, met het pruttelende koffiekannetje op het vuur, en met Oskar, die zo hartelijk zat te lachen.

Kleine-Sara schonk Rasmus koffie in in een kopje zonder oor. Toen nam ze een broodmes en sneed een dikke plak roggebrood af.

„Boter krijg je een andere keer, dat heb ik nu niet."

Rasmus pakte het stuk brood aan. Het voelde plakkerig aan en er zat een grote ongare rand in, maar dat gaf niet. Daar hield hij van.

Hij doopte het brood in de koffie en liet het zich heerlijk smaken.

„Kleine-Sara is aardig voor landlopers," zei Oskar. „Kleine-Sara komt vast in de hemel."

Kleine-Sara knikte instemmend.

„Maar eerst de veldwachter," ging Oskar verder. „Nu moet je zo snel mogelijk met deze brief naar hem toe gaan, Kleine-Sara."

Kleine-Sara krabde bezorgd op haar hoofd. Haar haar leek wel een witte knot wol. „Maar ik praat niet met hem," zei ze angstig. „Ik zeg geen woord tegen hem. Ik geef hem de brief en dan ga ik meteen weer weg. Want anders begint hij over het armenhuis, dat ik daarnaartoe moet."

Oskar klopte haar kalmerend op de schouder. „Zeg maar niks tegen hem. Als hij alleen de brief maar krijgt. Dan is het al goed. Dat hoop ik tenminste."

Kleine-Sara zag er nog steeds bezorgd uit. Het was net een kind dat bang was voor het onbekende. „Ik wil het niet, maar ik doe het toch. Want wees goed voor de armen, zegt de dominee. En Oskar is arm."

Oskar lachte, want hij vond het fijn om arm te zijn.

„Och ja, och ja, Kleine-Sara, voor mij moet je goed zijn. Ik ben arm als Job."

Kleine-Sara schudde bezorgd haar hoofd.

„Eerst moet ik de kippen te eten geven," zei ze.

„Och ja, och ja, wees ook goed voor de kippen," zei Oskar.

Kleine-Sara lokte de kippen mee en verdween door de deur.

Oskar bekeek Rasmus eens, die in zijn lompenbed zijn koffiekopje leegdronk.

„Koffie op bed, niet kwaad," zei Oskar. „Maar je zult eens zien wat ik gedaan heb terwijl jij lag te snurken. Ik heb een hele roman geschreven aan de veldwachter." Uit zijn jaszak haalde hij een volgeklad papier te voorschijn, dat hij Rasmus aanreikte.

„Is het de bedoeling dat ik het lees?" vroeg Rasmus.

„Ja, als het gaat," zei Oskar.

Rasmus begon te lezen. Oskar schreef nu niet bepaald mooi, bijna nog slechter dan hij zelf.

Ik hep het niet gedaan. ik ben onsguldig as een bruid. Nee ik hep het nie gedaan en de veltwagter moet het gelove daar in Westholm waren het twee schooiers en zij hete Lif en Liander die wone in de herberg als ze nog nie verhuist zijn en bij mevrou Johanson ware het ook dese schooiers en de meid die liegt en ze zeg dat ik het hep gedaan maar ik hep het nie gedaan. Ik ben onsguldig as een bruid. maar ik was buite en ik zong van In ieder bos is wel een bron. vraag het aan mevrou Johanson as die leeft maar dat doet ze natuulek nie. als ze leef dan moet ie Anastina weghalen want anners leef ze nie lang. ik bedoel mevrou

Johanson want die mense zijn schooiers. maar de keting hep ik en het gelt ook, een bom duiten die hep ik nog nooit gesien en lees nou het papier hierbij waar ik ze ferstopt hep. De veltwagter mot ze daar hale anners zijn ze weg. nu komt kleinesara met dit want ik durf het self nie want niemant gelooft lantlopers maar self ga ik weg want ik wil frij zijn as ik onsguldig ben as een bruid want ik heb het nie gedaan.
De groete Paradijs-Oskar.

Laat Anastina nie aleen met mevrou Johanson.

Rasmus vouwde het papier op en gaf het weer aan Oskar.

„Waar heb je het geld verborgen?" vroeg hij.

„Op een geheime plaats," zei Oskar. „Maar vraag me niet waar. Je bent dan wel de koning der strijders, maar ik wil je niet méér in deze zaak mengen dan nodig is. Een andere keer mag je het weten. Maar ik heb het aan de veldwachter geschreven op dit kleine papiertje dat ik in de brief stop."

'Een andere keer mag ik het weten en krijg ik boter op mijn brood,' dacht Rasmus.

Op de helling achter het huisje van Kleine-Sara lagen ze te wachten. Oskar wilde niet weggaan voordat hij werkelijk wist dat de veldwachter de brief gekregen had. Maar Kleine-Sara teutte. Ze was nu al vier uur weg, en Oskar begon zich ongerust te maken.

„Die kleine oude wijfjes zijn niet geschikt als postbode," zei hij. „Je weet nooit wat ze opeens in hun bol krijgen."

Maar Rasmus vond het heerlijk om eens helemaal uit te rusten. Hij had weer wat geslapen en ze hadden gegeten. De zon brandde lekker, en het rook naar hars van de dennen, die het huisje van Kleine-Sara beschermden tegen alle harde winden, en de kleine witte kat gaf hem steeds zo gezellig kopjes. Hij genoot toen hij daar zo lag. Bij het zien van de kat herinnerde hij zich zijn droom weer. Hij had gedroomd dat hij zelf een katje had, een zwart katje, net zoals dat van mevrouw Johansson. Hij en Gunnar hadden allebei altijd zo graag een eigen beestje willen hebben. Ze hadden er zo vaak over gepraat. Maar in Zuiderveld mochten de kinderen geen andere dieren hebben dan luizen in hun haar, zei Gunnar. Dat mochten ze trouwens ook niet, want dan kwam juffrouw Haviks ze met de stofkam kammen.

Maar vannacht had hij op de grond bij Kleine-Sara gedroomd van een eigen katje, helemaal van hem alleen. Hij had het eten gegeven, haring en aardappelen, dat kregen natuurlijk alleen maar droomkatjes. Hij glimlachte in zichzelf toen hij eraan dacht hoe leuk het katje geweest was.

„Waar lach je om?" vroeg Oskar.

„Ik heb vannacht gedroomd dat ik een kat had," zei Rasmus enthousiast.

„Ik had een kat," zei Oskar hem na.

„Weet je wat hij at, mijn kat?" vroeg Rasmus.

„Muizen, hoop ik," zei Oskar.

„Nee, hij at alleen maar aardappelen en haring. En hij was zo leuk."

„Jonge katjes eten geen aardappelen en haring," zei Oskar.

„De mijne deed het in ieder geval wel."

Ze lagen een poosje helemaal stil naar de toppen van de dennen te kijken, Rasmus met het katje op schoot.

Ik droomde dat ik had
een eigen kat,

zong Oskar zachtjes.

En hij at alleen haring en piepers, ging Rasmus verder, en hij grinnikte erbij.

Oskar dacht nog even na, toen zong hij:

en geloof het of niet,
maar die piepers en haring
die at hij wanneer hij geen rat...

„... ving," riep Rasmus stralend van vreugde. „Oskar, dat is bijna een liedje."

„Ja, het ís een liedje," zei Oskar, en hij haalde zijn harmonica te voorschijn. Even speelde hij het melodietje dat hij geneuried had.

En onder het wachten op Kleine-Sara speelden en zongen ze hun kattenliedje steeds weer opnieuw.

Ik droomde dat ik had
een eigen kat,
en die at alleen piepers en haring.
Geloof het of niet,
maar die piepers en haring
die at hij wanneer hij geen rat ving!

Wat was het gemakkelijk om liedjes te maken! Rasmus besloot er een heleboel te gaan maken. Over katten en honden en misschien ook over lammetjes. Natuurlijk werden ze dan niet zo spannend als die van 'Ik heb een kind voor jou vermoord' en 'Heb je de gruweldaden gehoord'. Maar er hoefde niet altijd bloed te vloeien! Na die vreselijke nacht met Lif en Liander had hij meer dan genoeg van gruweldaden.

Daar kwam Kleine-Sara. Ze zag er tevreden uit.

„De veldwachter was niet thuis," zei ze met een stralende lach en een brede grijns vertoonde zich op haar tandeloze gezicht. „Hij was mensen in de bak aan het stoppen, en dat kan lang duren, daar kon ik niet op wachten."

„Maar dan heb je de brief toch wel aan een van de agenten gegeven?" vroeg Oskar ongerust.

Kleine-Sara schudde haar wollige hoofdje schuldbewust.
„En wij hebben hier aldoor zitten wachten," zei Oskar. „Wat heb je die hele tijd dan wel gedaan, Kleine-Sara?"
„Ik heb me gehaast. Ik heb even koffie gedronken bij Fia van Izak."
„Vier uur lang," zei Oskar.
„Ja, we hadden heel veel te bespreken," zei Kleine-Sara waardig.
Ze wilde geen verwijten horen.
„Geef mij de brief," zei Oskar. Hij was wel een beetje boos op Kleine-Sara, dat merkte Rasmus best.
Nu zag Kleine-Sara er al weer bedremmeld uit.
„Die brief heb ik vergeten bij Fia van Izak," zei ze. „Was het iets belangrijks?"
Ze stond daar met haar geruite sjaaltje en haar gestreepte schort druk aan de blaadjes van de bessenstruik te friemelen en ze deed net alsof ze geen tijd had om aan brieven te denken.
Oskar zuchtte. „Nee, Kleine-Sara. Het was niet zo belangrijk. Je komt toch wel in de hemel. Ja, ja, het is maar goed zoals het is, zei de man toen zijn haar in brand vloog!"
„Maar ik heb me zo bloedig ingespannen om die brief voor elkaar te krijgen," zei hij naderhand tegen Rasmus, toen ze op weg waren naar Fia van Izak om de verloren boodschap weer in hun bezit te krijgen. „Twee zulke romans kan ik echt niet op één dag schrijven, ik hoop maar dat Fia de brief nog heeft."
Maar ze zouden het huisje van Fia niet bereiken. Het was nog maar een heel klein eindje. Ze zagen het huisje al liggen aan de kant van de weg, en opeens rezen er uit de grond twee agenten op, dezelfde agenten als de vorige keer. Weer dezelfde agenten.
Oskar was boos, bozer dan Rasmus hem ooit gezien had, en dat was niet te verwonderen. De agenten gedroegen zich namelijk alsof hij de grootste en gevaarlijkste boef was die er op de wereld bestond en helemaal geen gemoedelijke landloper.

„Grijp zijn revolver!" schreeuwde de een, en toen stormden ze op hem af en betastten hem overal.

„Ik héb geen revolver!" schreeuwde Oskar terug. „Nog nooit in mijn leven heb ik een revolver gehad. Toen ik klein was kreeg ik van m'n moeder niet eens een waterpistool, al zeurde ik haar ook de oren van het hoofd!"

En toen werden ze naar het kantoor van de veldwachter gebracht, waar de ene agent een groot papier volschreef, terwijl de ander Oskar stevig vasthield, omdat hij dacht dat hij er anders vandoor zou gaan. Rasmus hield hij niet vast. En dat was niet nodig ook, want Rasmus drukte zich zo stevig mogelijk tegen Oskar aan. Wat een hondenleven was dit eigenlijk – geen ogenblik rust en de hele tijd maar angst voor rovers, veldwachters en agenten om de beurt!

Maar Oskar was niet bang. Hij was boos.

„Ik wil met de veldwachter praten!" schreeuwde hij en hij sloeg met zijn vuist op de tafel, waarachter de agent zat te schrijven.

„De veldwachter is naar een feest. Hij komt morgen pas terug," zei de agent die hem vasthield.

„Naar een feest!" riep Oskar uit. „En ik sta hier onschuldig als een bruid."

„We hebben het gehoord," zei de man die schreef. Bergman heette hij, zo had de ander hem tenminste genoemd. „Je liegt dat je het zelf gelooft," ging Bergman verder. „Maar deze keer ben je er nu eens bij. En dat is maar goed ook, want zulke boeven als jij mogen niet op vrije voeten blijven rondlopen."

Oskar trilde van woede; hij wendde zich tot de man die hem vasthield en toen wees hij op Bergman.

„Mag ik hem schaapskop noemen, of is dat strafbaar?"

„En óf het strafbaar is!" zei de man die hem vasthield. „Hou je koest, en vertel ons liever je volledige naam, zodat Bergman die op kan schrijven."

„Oskar," zei Oskar. „Hoe heet je zelf?"

„Ik heet Andersson, maar dat heeft hier niets mee te maken. Hoe heet jij verder?"

„Dat heeft hier niets mee te maken, noem mij maar Oskar, het is niet strafbaar."

Andersson grijnsde, hij leek iets geschikter dan de man die schreef.

Bergman keek hem zuur aan, en zei: „Die toon van je komt hier niet te pas. Wil je die wel eens gauw veranderen!"

„Loop naar de maan," zei Oskar. Toen vroeg hij Andersson nog eens: „Mag ik die Bergman nou echt geen schaapskop noemen, kan ik daar dan heus voor gestraft worden? En als ik een echte schaapskop ontmoet en als ik hem dan Bergman noem, daar kan niemand me voor straffen!"

Bij het idee alleen al moest hij vreselijk grinniken. Toen keek hij, over de tafel gebogen, Bergman recht in de ogen, en zei met nadruk: „Bergman! Een echte Bergman, dat ben je!"

Bergman werd rood als een pioen en zei tegen Andersson: „Zet hem in nummer twee, dan mag de veldwachter hem morgen mores leren."

Andersson bekeek Rasmus.

„Wat moeten we daarmee doen?"

En toen zei Bergman iets afschuwelijks.

„O, die is weggelopen uit Zuiderveld. Die moet weer terug."

Rasmus zag alleen maar een gapende afgrond, en alle ellende en verdriet kwamen als een grote, rollende golf op hem af. Hij moest terug naar Zuiderveld, dat betekende dat zijn leven afgelopen was. Ja, nu was zijn leven afgelopen! Oskar was voor hem verloren. Oskar werd in de gevangenis gestopt en hem zelf propten ze in een kindertehuis waar hij niet in wilde. Hij wilde er niet heen, zijn hele lichaam weigerde ernaartoe te gaan.

Heel even stond Rasmus Bergman met grote, angstige ogen aan te gapen. Maar er was voor hem geen redding meer. Wanhopig keek hij in het rond of er niet ergens een uitweg zou zijn. Er moest een uitweg zijn. Door het open raam stroomde het zonlicht naar binnen en het sombere kantoor van de veldwachter werd er iets door opgevrolijkt. Daarbuiten liep de gouden weg naar de vrijheid...

Rasmus dacht niet verder. Hij rende als een waanzinnige, net als een klein dier dat gevangenschap dreigend voor zich ziet. Hij hoorde dat ze hem riepen, maar hij bleef niet staan om te horen wat ze zeiden.

Bliksemsnel rende hij de rustige straat op. Gisterochtend was hij hier met de melkwagen langsgekomen, maar dat herinnerde hij zich op dit ogenblik echt niet meer.

Zijn gedachten dwarrelden door zijn hoofd. Als een schuw konijn holde hij over de zongestoofde kinderhoofdjes, zonder naar links of rechts te kijken, in de richting van de zuivelfabriek. Blindelings snelde hij voort. En de straat was helemaal leeg. Maar vlak voor de zuivelfabriek doken er twee mensen uit een zijstraatje op. Rasmus ontdekte ze pas toen hij bijna tegen ze aan holde. Hij liep de een haast omver.

De man greep hem stevig bij zijn schouders en hield hem tegen.

„Halt, meneertje," zei Lif. „Met jou heb ik een appeltje te schillen."

12

„Ja, wij moeten nodig met elkaar praten," zei Lif, terwijl hij Rasmus achter de hoge schutting trok, die om de zuivelfabriek heen stond.

Op dit uur van de dag was hier geen mens te bekennen, Rasmus was volkomen aan hem overgeleverd.

Lif schudde hem hardhandig door elkaar.

„Antwoord onmiddellijk, anders ziet het er voor jou niet zo best uit. Waar is je kameraad, die landloper?"

„De politie heeft hem gepakt," zei Rasmus uitgeput. Hij was te moe om nog bang te zijn en ze zouden hem toch niet doodslaan.

Lif en Liander keken elkaar in stomme verbazing aan, ze waren vast banger dan Rasmus.

„Is hij erbij?" vroeg Liander. „Nou, Hilding, dan weet je wel aan wie hij de schuld geeft. Dan moeten wij er als hazen vandoor!"

Lif hield Rasmus in een ijzeren greep.

„Antwoord onmiddellijk, had Oskar het geld bij zich toen ze hem pakten?"

Rasmus kon zo gauw niet bedenken of hij ja of nee op deze vraag moest zeggen, hij hield dus zijn mond maar. Maar Lif schudde hem door elkaar alsof hij dacht dat het antwoord in zijn keel was blijven steken en het er met een flinke ruk uitgeschud kon worden.

„Wat heeft hij met het geld gedaan?"

„Dat heeft hij verborgen. Op een geheime plaats en ik weet niet waar dat is."

„Hilding, we hebben haast," zei Liander nerveus.

„Hou je mond," zei Lif. „Natuurlijk geeft hij ons de schuld, maar als wij ervandoor gaan dan betekent dat, dat wij schuld bekennen. Nee, een beetje koelbloedigheid hebben wij nodig!"

Nu wendde hij zich weer tot Rasmus. „Was jij erbij toen Oskar door de veldwachter verhoord werd?"

Rasmus schudde zijn hoofd. „De veldwachter heeft nog niets met Oskar gedaan, want hij is naar een feest. De hele dag."

Lif begon te fluiten en heel even zag hij er tevreden uit.

„Ja, natuurlijk, hij is naar het feest van mevrouw Roos, die vijftig jaar is geworden, wat een geluk! De hele avond is hij in de herberg en dan heeft hij tenminste geen ogenblik tijd om iemand te verhoren, wat een geluk! Misschien verhoort hij hem dan wel helemaal niet, want morgen kon het wel eens te laat zijn."

Nu fluisterde hij Liander iets in het oor. Rasmus kon niet horen wat. Een hele tijd bleven ze zo fluisteren.

Toen zei Lif: „Hoor eens ventje, wat zou je ervan zeggen als we Oskar voor jou uit de bak haalden?"

Rasmus staarde hem stomverbaasd aan. Hij wilde niets liever dan Oskar terug hebben, maar dat Lif en Liander hem ermee zouden helpen, was het laatste wat hij verwacht zou hebben. Waren ze toch niet zo erg slecht? Misschien vonden ze het zielig voor Rasmus dat hij zo eenzaam rondliep? Opeens vond hij dat zelf ook. Toen hij besefte hoe eenzaam hij was zonder Oskar, sprongen de tranen hem in de ogen en hij mompelde zachtjes: „Het zou heel aardig zijn als jullie Oskar wilden bevrijden."

Lif greep hem stevig bij zijn nek. „Ja, wij zijn verdraaid aardig, maar luister nu heel goed naar wat ik jou te zeggen heb. Want dat moet jij woordelijk aan Oskar overbrengen."

Rasmus keek hem verschrikt aan. „Dat kan ik niet, want dan ben ik erbij, en dan zetten ze me weer in het kindertehuis."

Lif werd ongeduldig. „Je doet wat wij je zeggen. Wanneer het vanavond donker wordt, dan sluip jij naar Oskar. Hij zit opgesloten achter in de tuin van de veldwachter."

„Maar als die agenten daar nou op wacht staan," zei Rasmus.

„Dat doen ze niet. Nu ze hem eenmaal opgesloten hebben moet hij zichzelf verder maar redden. En jij kunt met hem praten door de tralies aan de achterkant."

Rasmus knikte. Als het niet erger werd – hij was bereid heel wat gevaren uit te staan ter wille van Oskar.

„En dan zeg je tegen hem dat wij hem vannacht komen halen. Mijnheer Liander is reuze handig in het openen van sloten."

„Zit niet te zwammen," zei Liander ruw. „We komen hem halen, maar op één voorwaarde, begrijp je?"

„Ja, daar was ik juist aan toe," gromde Lif. „Wij willen het geld terug hebben, begrijp je? We hebben verandering van lucht nodig, en dat kost centen. Dus wij willen het geld hebben."

„Maar als Oskar het nou niet wil!" zei Rasmus angstig.

„Hij krijgt de ketting," zei Lif. „Dan moet hij toch wel inzien dat wij fatsoenlijke kerels zijn."

Je kon duidelijk merken dat deze mensen niets van Oskar wisten. Ze dachten dat ze de geluksvogel konden omkopen met een ketting. Ze dachten natuurlijk ook dat hij het geld en de ketting gestolen had, omdat hij alles zelf wou hebben. Nee, ze wisten echt niets van Oskar.

„Maar, als hij het toch niet wil!" zei Rasmus.

Lif werd kwaad.

„Ik geloof wel dat het een onnozele vent is, maar zo'n sufferd is hij toch nog niet. Vraag hem maar of hij daar een paar jaar wil blijven zitten. Híj is erbij, wij niet. Doe hem maar de groeten. Ik zal de veldwachter wel overtuigen. En bovendien is er helemaal geen sprake van wat Oskar wil en niet wil. Eén revolver hebben jullie gegapt, maar de andere heb ik nog, en die zal ik vanavond meenemen. Zeg hem dat maar."

Rasmus kreeg nog veel meer te horen. Hij moest tot aan de avond achter een stapel hout gaan liggen bij de zuivelfabriek, en hij mocht zich onder geen voorwaarde in het dorp vertonen en het risico lopen gepakt te worden. Hij mocht nooit van zijn leven laten blijken dat hij Lif en Liander kende, en dat mocht Oskar evenmin.

„Zodra het een beetje donker is geworden ga je ernaartoe. En als je je plicht gedaan hebt dan kom je terug hierheen, en dan wacht je op ons. Om twaalf uur vannacht komen we je halen."

„Maar ik heb honger," zei Rasmus. Hij stak zijn hand in zijn broekzak en vond de twee stuivers die Oskar hem gegeven had. „Mag ik hier niet een paar broodjes voor kopen?"

„Jij koopt niets," zei Lif. „Geef hier dat geld!"

Hij rukte Rasmus de stuivertjes uit zijn handen, en weg waren ze.

Doodellendig bleef Rasmus achter de stapel hout zitten. Wat een bandieten, alleen maar roven, roven en nog eens roven, en steeds werden ze brutaler! De overval in Westholm was gemeen, het was nog gemener om de ketting van mevrouw Johansson te stelen, maar de gemeenste streek van alles was dat ze zijn twee stuivertjes gestolen hadden!

Maar nu had hij het bij het verkeerde eind. Want vijf minuten later kwam Lif terug. Hij gooide een zak naar Rasmus toe en zei: „Hier, eet maar op! En zorg dat je stil blijft zitten, en ga hier niet vandaan voordat het tijd is."

Toen verdween hij. Rasmus keek hem een hele tijd na, boeven waren vreemde wezens. Het ene ogenblik werd je door ze opgejaagd als een wild dier en het volgende ogenblik kwamen ze je broodjes brengen! Gauw maakte hij de zak open en keek wat erin zat. Toen was hij nog verbaasder. Vijf krentenbollen! Die kostten twee cent per stuk, dat was dus samen precies tien cent. Maar er zaten een heleboel lange vingers en speculaasjes in, die moest Lif van zijn eigen geld gekocht hebben. Heel even vond Rasmus Lif wel aardig. Gelukkig hoefde hij in zijn gevangenis niet te verhongeren.

Het was werkelijk bijna een gevangenis waar hij zat, tussen de houtstapel en de schutting. Het was een lange, smalle gevangenisgang. Maar aan beide kanten was de gevangenis open en dat was eigenlijk helemaal niet goed. Een gevangenis moest behoorlijk dicht zijn, zodat de gevangenen niet konden ontsnappen.

En als je nou toch in de gevangenis moest zitten, dan moest je het maar goed doen ook. Hij pakte allerlei latten van de houtstapel en daarmee versperde hij beide ingangen. Toen speelde hij dat hij een echte gevangene was, net als in het liedje van Oskar:

...dat ik hier in die kooi moet zitten
in plaats van thuis te liggen pitten...

zong hij, maar het was eigenlijk helemaal niet zo erg om in de gevangenis te zitten als de mensen wel dachten, hij vond het wel leuk.

Er zat een klein gaatje in de schutting, en daardoorheen gluurde hij naar buiten. Maar hij zag niets dan hobbelige straatkeien. Toen begon hij de houtstapel maar te onderzoeken, en opeens hoorde hij iets dat hem helemaal opgewonden maakte.

Het was een zacht gepiep, er zat een nestje tussen een paar planken verscholen.

„Pssst," siste Rasmus, „wat leuk!"

Er zaten drie jongen in het nestje, drie kleine vogeltjes, die levendig aan het piepen waren. Hij kon zijn ogen er niet van afhouden, en een hele tijd lang voelde hij zich de gelukkigste van alle gevangenen.

Na een poosje begon zijn maag te knorren en keerde hij weer tot de werkelijkheid terug. Hij ging onder het vogelnestje op de grond zitten, en maakte zijn zak met broodjes open. Jammer dat hij niets te drinken had, hij had zo'n vreselijke dorst.

Er waren kennelijk mensen die zich bekommerden om het wel en wee van gevangenen. Bij het hek van de zuivelfabriek stond een melkbus. Een vergeetachtig meisje had hem daar zeker laten staan.

Even overwoog Rasmus bij zichzelf hoe dorstig je moest zijn om iets van de melk van anderen te mogen nemen. Die zou toch maar zuur worden in de warmte. Hij dacht niet dat de eigenaar van de melk er iets op tegen zou hebben dat hij er een beetje van zou redden, voordat het met de rest hangop geworden was.

Krentenbollen met melk smaakten heerlijk, en lange vingers en speculaasjes met melk smaakten minstens even lekker. Hij had het echt naar zijn zin, hier achter de houtstapel. Uit het deksel van de bus dronk hij zoveel melk als hij nodig had bij al het eten, maar zijn geweten was niet geheel zuiver toen hij het deksel aan zijn mond zette.

De mensen mochten hem eigenlijk best een beetje vertroetelen nu hij door een paar gevaarlijke schurken was opgesloten.

De jonge vogeltjes voerde hij in de melk gedoopte stukjes brood. Op zijn pink stapelde hij een heel torentje van vochtig brood, en begerig pikten ze met hun kleine snaveltjes alles op. Het was een leuk gevoel en de vogeltjes waren grappig. Hij was een gevangene die wegkwijnde achter de ijzeren tralies van de gevangenis en de vogeltjes waren zijn enige vriendjes. De rest van de wereld had hij in zijn ellende allang vergeten, maar de kleine vogeltjes monterden hem met hun getjilp weer helemaal op en ze waren hem trouw. Tot de dood toe zouden ze zijn gevangenschap delen. Hij huilde een beetje toen hij daaraan dacht. En toen was hij geen gevangene meer, maar alleen Rasmus.

En hij huilde nog veel harder omdat hij Oskar zo miste.

En een poosje later, toen hij voor de tralies stond en Oskars vertrouwde stem weer hoorde, toen werd hij helemaal wild. En hij fluisterde huilend in het donker: „Oskar, je móét je door ze laten verlossen. Ik ben anders zo vreselijk eenzaam!"

„Ach ja, ach ja," zei Oskar bezorgd. „Je begrijpt toch wel dat je niet zomaar met dieven onder een hoedje kunt gaan spelen, dat begrijp je toch wel, mijn kleine jongen?"

Rasmus bleef maar doorsnikken.

„Ja, maar dan kunnen we toch weer gaan zwerven? Ik ben zo eenzaam, Oskar!"

„Ja, dat ben je! En die vervelende veldwachter is nog steeds op dat feest. Maar ik zal hem te pakken krijgen, al moet ik er de gevangenis voor omkieperen." Hij begon te loeien als een stier: „Kom eens hier als je durft, alle Bergmannen en schaapskoppen die er zijn. Kom eens hier, voordat ik de bak omkieper. Ik moet met de veldwachter praten!"

Rasmus maakte een sprong van schrik toen Oskar zo begon te bulderen. Hij zocht een schuilplaats en zag een greppel tussen de gevangenis en de tuin van de veldwachter. Er was een bruggetje over, zodat de veldwachter kon afsteken wanneer hij van zijn gele huis naar kantoor ging. Rasmus kroop onder het bruggetje en luisterde naar het gebrul van Oskar.

„Laat de veldwachter maar komen, heb ik gezegd! Horen jullie mij, dove kwartels? Ik wil bekennen, haal de veldwachter, dan zal hij eens wat horen!"

Het was donker in het gele huis van de veldwachter. En het was ook donker in het kantoor. Bergman en Andersson waren zeker ook naar het feest. In ieder geval kwam er niemand op Oskars gebrul af, en ten slotte schreeuwde hij: „Dan is het jullie eigen schuld als ik er vannacht vandoor ga!"

Er ging een schok door Rasmus heen toen hij dit hoorde. Oskar was tóch van plan ervandoor te gaan! Wat heerlijk. Het geld en de ketting lieten Rasmus helemaal steenkoud. Als hij en Oskar maar weer konden gaan zwerven.

En twee uur later was het zover – ze waren weer op weg.

Maar als een paar donkere schaduwen kwamen Lif en Liander achter ze aan. Lif had zijn revolver in zijn hand.

Lif had gelijk gehad toen hij zei dat Liander zo handig was in het openen van sloten. In een kwartiertje had hij het voor elkaar gebokst om Oskar weer op vrije voeten te krijgen. Lif had ondertussen op wacht gestaan. Ook Rasmus had op wacht gestaan, met de harde hand van Lif om zijn nek. Geen agent of veldwachter was er te zien geweest.

„Nu is het hun eigen schuld," zei Oskar nog eens toen ze in de duistere nacht het dorpje uit slopen.

Iedereen sliep daar alsof er geen schurken bestonden. Alleen in de herberg was het een lawaai van jewelste. Ze hoorden een harmonica en een heleboel geroezemoes toen ze zachtjes door de straat slopen.

Nu gingen ze weer naar het huisje van Kleine-Sara.

„Waar heb je het geld verborgen, Oskar?" vroeg Rasmus stilletjes.

„Dat zie je zo wel," zei Oskar grimmig.

Nu waren ze er. Daar lag het huisje van Kleine-Sara in de zomernacht, te midden van bessenstruiken en verweerde appelbomen. Kleine-Sara was zeker heerlijk aan het slapen en had er geen flauw vermoeden van wat voor vreemde stoet er zachtjes langs haar huisje sloop, langs de houtstapel, dwars door haar tuintje, en de bossen daarachterin.

Een klein eindje het bos in lag een geweldige hoop stenen. Hoe en waarom die daar lag wist niemand en als het een overblijfsel was uit vroegere tijden dan was hij absoluut niet te vergelijken met enig ander overblijfsel. Het was niets meer dan een enorme hoop stenen.

Oskar bleef staan toen hij bij de hoop was gekomen. Hij draaide zich om en keek Lif en Liander woedend aan.

„Zo, zo, daar zijn jullie dus, mijn zondagsschooljongetjes! Ik was bang dat ik jullie onderweg kwijtgeraakt was."

„Wees daarvoor maar niet bezorgd," zei Lif. „Ons raak je voorlopig nog niet kwijt."

Zijn revolver hield hij klaar om te schieten en Oskar begon te grijnzen toen hij hem zag.

„Je schiet toch niet, hè? Ik hou niet van die knallen."

„Als jij de poen te voorschijn haalt gebeurt er niets," zei Lif doodkalm.

„Ach ja, ach ja," zei Oskar. „Waar heb ik het nou ook weer verborgen?" Hij schoof zijn pet wat naar voren en krabde zich achter zijn oor.

„Het was hier ergens," zei hij, met een groots gebaar dat de hele hoop stenen omvatte.

„We zijn niet van plan om goudzoekertje te gaan spelen," zei Lif, en Liander trilde van zenuwachtigheid.

„Haal het te voorschijn, rund! Je begrijpt toch wel dat we haast hebben!"

Langzaam werd het licht boven de toppen van de bomen, en in het schemerlicht zag het gezicht van Liander er gebroken en verlept uit. Hij zoog als een bezetene aan zijn sigaret en kon niet op één plaats blijven staan.

„Nou, komt er nog wat van?" snauwde hij.

Oskar slaakte een diepe zucht en keek Rasmus nog eens aan.

„Nu is het de eigen schuld van de veldwachter. Ik heb gedaan wat ik kon," zei hij.

„Ja," zei Rasmus.

Hij vond het zo zielig voor Oskar. Ellendig dat die rovers het geld nu zouden krijgen. Gelukkig kreeg Oskar tenminste de ketting en konden ze weer gaan zwerven als alles afgelopen was. Als mevrouw Johansson niet meer beter werd, dan zou in ieder geval haar dochter in Amerika de ketting krijgen. Dat was een grote troost.

Oskar klauterde boven op de hoop. Lif en Liander volgden hem op de voet. Ze zagen eruit als een paar jakhalzen, vond Rasmus.

Rasmus liep zelf ook mee. Zo dicht mogelijk bij Oskar ging hij op een steen zitten. Hij bibberde van de kou en liet Oskar niet los met zijn ogen.

„Hier was het," zei Oskar en hij begon stenen weg te halen.

Hij gooide de stenen allemaal naar beneden, het maakte een geweldig lawaai in de stilte van het bos. Lif en Liander stonden vlak achter hem, en volgden met hun ogen iedere beweging die hij maakte.

Ze staarden hem aan, ze stonden te slikken van spanning. En daar was het zo bekende pakje weer. Als wolven wierpen ze zich er tegelijkertijd bovenop.

„Daar heb je jullie poen," zei Oskar vol verachting.

„Tel alles na," zei Liander. „Misschien heeft hij een heleboel gestolen."

„Stuk ongedierte," zei Oskar.

Lif gaf zijn revolver aan Liander, en begon te tellen. Hij telde de honderdjes en duizendjes totdat het Rasmus begon te duizelen.

De ketting lag er ook, en die stopte Lif in zijn zak.

„Hoor eens," zei Oskar. „Over de ketting zal ik me maar ontfermen."

„Ja, dat is waar ook," zei Lif. „Maar ik ben van plan veranderd. Jij krijgt de ketting niet."

Maar Liander begon als een bezetene te schreeuwen.

„Geef hem de ketting toch, sufferd! Begrijp je dan niet dat dit de enige manier is om hem zijn mond te laten houden – dat hij werkelijk medeplichtig wordt. Geef hem de ketting!"

„Medeplichtig...? Loop naar de maan," zei Oskar. „Ik ben niet van plan om met dieven en bandieten medeplichtig te worden. Ik geef de ketting terug aan mevrouw Johansson, begrijpen jullie dat met je dievenkoppen?"

Lif en Liander keken elkaar aan, en het werd doodstil.

„Hoorde je dat," zei Lif. „Daar kun je zijn mond niet mee snoeren."

„Nee, daar kun je donder op zeggen. Ik denk er niet over een medeplichtige te worden, zo lang als ik leef."

„Zo lang als je leeft," zei Liander, en hij keek Oskar aan met een blik die Rasmus deed trillen van angst. „Zo lang als jij leeft! Maar er zijn betere manieren om iemand de mond te snoeren, begrijp je dat?" Hij zwaaide met zijn revolver.

„Nee, schiet niet," zei Lif. „Je bent gek, Liander..."

„Ik ben gek als ik het niet doe," zei Liander. „Hier zijn twee getuigen te veel, en ik denk dat ik ze hier tussen de stenen achterlaat."

Hij richtte zijn revolver. Maar Rasmus begon als een wilde te schreeuwen.

„Nee, niet schieten, niet schieten," en buiten zichzelf van angst wierp hij zich tegen Oskar aan. Hij sloeg zijn armen om Oskars benen en schreeuwde in wanhoop: „Niet schieten, niet schieten!"

Maar toen werd er toch opeens een schot gelost. En niet door de revolver die nog steeds op Oskar gericht was. Het schot kwam van een heel ander wapen, en de kogel schoot met een waanzinnige kracht de revolver uit Lianders hand, zodat hij dwars over de steenhoop vloog.

„Oskar, ben je dood?" schreeuwde Rasmus schel.

„Nee, ik ben niet dood," zei Oskar.

Hij staarde naar het bos. Daar achter de dennen moest de man staan die geschoten had.

Lif en Liander waren helemaal bleek geworden, en ook zij staarden.

En ze werden nog bleker toen ze de agenten naar voren zagen komen. De agenten die vanachter de bomen te voorschijn doken en die revolvers in hun hand hadden. Op een draf kwamen ze dichterbij. Ze sprongen over de hobbelige stenen en ze naderden onverbiddelijk het groepje mensen boven op de steenhoop.

„Ik protesteer," zei Lif, toen ze hem in de handboeien sloegen. „Ik protesteer. Jullie moeten die landloper in de boeien slaan. Kijk maar eens naar het pak geld dat hij hier begraven heeft."

„Bespaar ons de rest," zei de veldwachter, die ook plotseling te voor-

schijn was gekomen en die Lif en Liander vernietigend aankeek.
Oskar stootte hem wanhopig aan.
„Veldwachter, ik zweer u dat ik onschuldig als een bruid ben."
De veldwachter knikte.
„Ja Oskar, ik heb een half uur achter die dennen gestaan en ik weet dat je onschuldig als een bruid bent."

13

„Hoe is het precies in zijn werk gegaan?" vroeg Oskar.

Hij zat in een gemakkelijke stoel op het kantoor van de veldwachter.

De veldwachter had hem zojuist getrakteerd op een fijne sigaar uit de mooie doos op zijn bureau.

„Hoe kon u eigenlijk zo precies op tijd komen?"

Oskar keek de veldwachter vragend aan, terwijl hij aan zijn sigaar trok. Achter zijn stoel stond Rasmus. Hij ademde de heerlijke sigarenlucht in, maar maakte zich zo klein mogelijk. Hij wilde dat de veldwachter zou vergeten dat hij er ook was. De veldwachter was wel ontzettend aardig voor ze geweest. Eerst had hij hun leven gered en toen hadden ze de rest van de nacht in zijn gele huis mogen slapen en zijn huishoudster had ze een ontbijt gegeven in de keuken.

En nu zat hij hier achter de tafel en had alles opgeschreven wat Oskar hem verteld had over Lif en Liander en daarna had hij Oskar een sigaar aangeboden. Hij was wel aardig, maar hij was degene die jongens naar kindertehuizen mocht sturen, of ze nu wilden of niet.

En daarom maakte Rasmus zich zo klein mogelijk achter de stoel van Oskar.

„Ik heb toch je brief gekregen, Oskar," zei de veldwachter. „Zonder jouw brief hadden wij Lif en Liander nu niet achter slot en grendel gehad."

„De brief?" vroeg Oskar stomverbaasd. „U hebt mijn brief toch niet gekregen?"

„Jawel," zei de veldwachter. „Gisteravond laat heb ik hem gekregen. Ik was op een feest in de herberg, en we zaten nog niet aan de koffie, of ze kwamen me vertellen dat er buiten iemand op me stond te wachten, die me wilde spreken. Ik liet antwoorden dat ik nu niet kon komen, maar dat had ik niet moeten doen, want toen kwam er een klein, kras vrouwtje binnen. Ze heette Fia van Izak..."

„Fia van Izak," zei Oskar. „Ja, ja, ik kan me wel voorstellen dat het Kleine-Sara niet was..."

„Nee, het was Fia van Izak. Dat is me een tante, die weet wat ze wil. Ze kwam op me toe gestapt en stopte me de brief regelrecht in mijn handen. 'En hier maar lekker zitten, zonder te werken voor de kost,' zei ze. Ze zei dat ze de brief op de grond in haar huisje gevonden had..."

„O, o, die Kleine-Sara," mompelde Oskar.

„En ze begreep dat het iets belangrijks was, want ze had gelezen wat erin stond. En nu mocht de veldwachter zo goed zijn om de rest op te knappen, zei ze."

„Fia verdient een medaille," zei Oskar.

„Ja, en Oskar verdient een medaille," zei de veldwachter. „Ik ben dom en onrechtvaardig geweest door die meid te geloven, die vertelde dat de landloper met een revolver gedreigd had. Maar zodra ik de brief gelezen had begreep ik dat Oskar onschuldig was; ik zie gelukkig mijn eigen fouten wel in."

Oskar knikte tevreden.

„Ja, ja, nu kan ik het ook zien, zei de vrouw en ze knipte haar oogleden af. Opeens wordt alles duidelijk." Hij blies een dikke rookwolk uit en Rasmus ademde de geur in. Wat roken sigaren toch deftig en lekker. Maar hij hield zijn ogen voortdurend op de veldwachter gericht en hij liet de gedachte aan het kindertehuis niet los, al was het ook nog zo spannend wat de veldwachter vertelde. De veldwachter bedankte Oskar, omdat die hem voor Anna-Stina gewaarschuwd had.

„Ik stormde naar het huis van mevrouw Johansson zodra ik de brief gelezen had, en ik geloof dat ik precies op tijd kwam. Want gisteravond kwam ze weer bij bewustzijn. Niet dat ik nou het ergste van die stomme Anna-Stina wil denken, maar het kwam toch wel heel goed uit dat zij toen net gearresteerd was."

„Denkt u dat mevrouw Johansson weer helemaal de oude wordt?" vroeg Oskar.

„Ja, dat hoop ik," zei de veldwachter. „Ik was er zojuist met haar ketting en ik kan je verzekeren dat ze blij was."

„Dan geeft ze mij de volgende keer ook weer vijftig cent," zei Oskar. „Dus Anna-Stina zit nu in de bak?"

„Jazeker," zei de veldwachter. „Toen wij haar gisteravond opsloten, merkten we dat jij juist bezig was ervandoor te gaan, Oskar. We hebben jullie de hele tijd achtervolgd, Bergman, Andersson en ik."

„Die Bergman is een schaapskop," zei Oskar rustig.

„Dat kan wel zijn," zei de veldwachter. „Maar schieten, dat kan hij als de beste, dat heb je misschien vannacht wel gemerkt."

„Ja, nog nooit is een schaapskop op een geschikter ogenblik op het toneel verschenen," zei Oskar. Hij stond op. „Nu ben ik zeker wel vrij om te gaan waarheen ik wil."

„Natuurlijk, maar die kleine, flinke jongen uit Zuiderveld..." De veldwachter keek Rasmus aan.

Rasmus gaf hem geen tijd om uit te spreken. In een paar seconden was hij buiten de deur, om weg te rennen of zijn leven ervan afhing.

Maar achter zich hoorde hij Oskar roepen: „Rasmus, wacht op mij!"

Hij keerde zich om en daar kwam Oskar aangerend zodat zijn rugzak op zijn rug op en neer sprong.

„Zorg dat ze me niet pakken, Oskar," zei Rasmus hijgend toen Oskar hem ingehaald had. „Ik wil bij je blijven!"

„Ach ja, ach ja," zei Oskar bezorgd. „Straks word ik nog voor kinderroof in de gevangenis gestopt. En zulke jochies als jij moeten eigenlijk niet gaan zwerven."

„Totdat ik iemand gevonden heb bij wie ik kan blijven," smeekte

Rasmus. „Ik vind heus wel gauw iemand die me wil hebben."

Eerlijk gezegd geloofde hij zelf nauwelijks wat hij zei. En hij had het gevoel dat hij Oskar probeerde te bedriegen. Nee, hij dacht niet dat hij ooit iemand zou vinden die hem wilde hebben.

Maar deze keer had hij het mis.

De lange dag was voorbij, en Rasmus begon moe te worden.

„Waar denk je dat we vannacht gaan slapen, Oskar?"

Oskar sjokte onverdroten verder over de stoffige landweg. Hij kon net zo lang lopen als hij zelf wilde, zonder moe te worden.

„O, we vinden altijd wel een plekje waar we kunnen slapen," zei hij troostend.

„Wat heb ik op veel verschillende plaatsen geslapen sinds ik weggelopen ben," zei Rasmus. „Twee nachten heb ik in hooischuren geslapen, een nacht op de grond bij Kleine-Sara en een nacht bij de veldwachter. Ik vraag me juist af waar ik vannacht zal slapen. Het is altijd zo spannend dat je dat nooit van tevoren weet."

„Ach ja, ach ja," zei Oskar.

Dromerig bekeek Rasmus de rode avondlucht.

„Ik zou wel eens willen weten waar ik alle andere nachten van mijn leven zal slapen."

„Ach ja, ach ja," zei Oskar.

Een poosje liepen ze zwijgend naast elkaar voort.

De weg was smal, heuvelachtig en vol bochten, en er waren een heleboel hekken.

„Ik heb vandaag zestien hekken opengemaakt," zei Rasmus. „Ik heb ze geteld. En daar, een eindje verder, is er nog een, maar dat is al open."

„Ja, op deze weg zijn altijd veel hekken geweest," zei Oskar.

„Hoe weet je dat, ben je hier wel eens eerder geweest?"

„Ja, heel vaak," zei Oskar.

Ze liepen door een hek. Er was een bordje op vastgespijkerd en Rasmus bleef even staan om het te lezen.

Doe het hek dicht, dat doe ik altijd;
maar jij, lummel, jij doet het nooit.

„Zeker een lummel die hier het laatst doorheen gelopen is," zei Oskar. „Kom, we gaan eens even zitten om het natuurschoon te bewonderen!"

Er lag een klein, mooi weitje aan de andere kant van het hek, met massa's bloemen en heerlijk, zacht gras. Rasmus deed het hek fatsoenlijk achter zich dicht, híj zou zich tenminste niet als een lummel gedragen. Oskar zat al tussen de blauwe klokjes en margrieten en Rasmus liet zich naast hem neervallen. Fijn, om je vermoeide benen eens even te ontspannen. „Als ik een koe was, dan zou ik in deze wei blijven en ik zou weigeren een stap te verzetten," zei Oskar.

Nadenkend krabde hij op zijn hoofd.

„Gek eigenlijk, dat je niet op één plaats blijft, maar dat je steeds weer verder wilt. Waar je ook komt, overal is het ongeveer hetzelfde. Het gras, de bloemen, de bomen, de lucht, de zon, de maan en de huizen van de mensen, die ze gebouwd hebben om in te wonen. Gek dat je niet op één plek kunt blijven."

„Ja, maar het is toch leuk om steeds weer verder te gaan," zei Rasmus. „Tenminste in de zomer. 's Winters is het wel prettig om in een huis te kunnen wonen."

„Ja, 's winters barsten de nagels van je tenen," zei Oskar. „Dan kun je beter in een huis wonen."

Daar hoorden ze het geluid van wielen en paardenhoeven en Rasmus holde zo gauw hij kon naar het hek. Wie weet, misschien kon hij wel een paar centen verdienen door het open te maken.

Algauw zag hij de wagen aankomen. Het was zo'n prachtige wagen waar je voor en achter kon zitten, en er zat alleen maar een man op de voorbank.

„Daar komt boer Nielsen van de Steenhoeve. Dat is een beste boer."

Rasmus hield het hek wijd open en maakte een diepe buiging toen de boer erdoorheen reed.

„Dat is me een beleefde portier," zei hij en hij hield het paard in.

Toen viel zijn oog op Oskar, die naast de weg in het gras zat.

„En daar hebben we Oskar. Het wordt tijd dat je hier weer eens komt!"

Oskar knikte.

„Ja, ja, daar zijn we weer. Mogen we een eindje meerijden?"

„Dat zal wel gaan," zei boer Nielsen.

Oskar en Rasmus klauterden op de achterbank en de wagen rolde verder.

„Jij krijgt een fooitje van me," zei de boer en hij gaf Rasmus een stuiver. Rasmus bloosde van plezier. Het was ongelooflijk zoals de stuivertjes hem toegestroomd waren sinds hij de eerste bij het kippenhok gevonden had in het begin van deze week.

Stilletjes bekeek hij de boer. Hij zag er aardig uit. Hij was helemaal niet oud, hij was bruin verbrand in zijn gezicht en hij had helderblauwe ogen.

„Waar heeft Oskar deze jongeman op de kop getikt?" vroeg de boer, en hij wees met zijn duim over zijn schouder op Rasmus.

„Die heb ik onderweg opgepikt," zei Oskar. „Hij zwerft zolang met mij mee."

„Heeft hij dan geen vader en moeder om voor hem te zorgen?"

„Nee, die heeft hij niet, die arme knul!"

Rasmus zat stil naar de zonsondergang te staren. Hij was erg verlegen; het was zo gek dat ze over je praatten als je er zelf bij zat.

„Als u precies wilt weten hoe het in elkaar zit, dan kan ik u vertellen dat de jongen ontsnapt is uit een kindertehuis. En nu is hij op zoek naar mensen waar hij kan blijven."

„Aha, ik dacht al dat het de jongen uit Zuiderveld was, over wie gisteren het een en ander in de krant stond." Hij draaide zich om en keek Rasmus vriendelijk in de ogen.

„Waarom ben je weggelopen uit het kindertehuis?" vroeg hij.

Rasmus bleef naar de zonsondergang staren en gaf geen antwoord.

Maar toen de boer zijn vraag herhaalde antwoordde hij zachtjes: „Ik wou er niet blijven."

Misschien vond de boer dit een duidelijke verklaring, want hij vroeg niet verder.

De weg was hobbelig, vol kronkels, bochten en heuvels, en er waren voor Rasmus nog veel meer hekken om open te maken.

Ten slotte kwam er zo'n steile helling, dat Oskar en Rasmus niet durfden te blijven zitten. Ze sprongen eraf en liepen naast de wagen verder.

„Nu zijn we haast bij de Steenhoeve," zei Oskar.

En toen ze boven aan de helling gekomen waren, konden ze de hoeve zien liggen. Het was een prachtige, rode boerderij boven op de heuvel, en in het schijnsel van de avondzon zag hij er echt gezellig en aanlokkelijk uit.

„Kunnen we niet vragen of we hier vannacht mogen slapen?" vroeg Rasmus aan Oskar.

Maar toen ze bij de hoeve aangekomen waren vroeg de boer hun zelf al: „Willen jullie wat te eten hebben?"

„Dat willen we wel, hè Rasmus?" zei Oskar guitig.

„Ja graag," zei Rasmus haastig.

Oskar had hem wel geleerd dat je nooit nee moest zeggen als je eten aangeboden kreeg, want je wist nooit wanneer het weer gebeurde.

„Ik denk dat het deze keer niet alleen eten zal zijn," zei Oskar, terwijl hij de boer aankeek. „Een boetepreek krijgen we zeker ook?"

De boer gaf geen antwoord.

Een poosje later zaten ze aan de grote keukentafel van de Steenhoeve samen met de boer bloedworst en spek te eten en de boerin gaf Rasmus melk en boterhammen met dik boter. Ze begon te lachen en zei: „Dit is de kleinste landloper die ooit aan mijn keukentafel heeft gezeten; en er hebben er heel wat gezeten op dit plekje, dat verzeker ik je."

Rasmus vond haar erg aardig. Ze had blond, kroezig haar, en een vriendelijk, ernstig gezicht; ze was mooi.

Terwijl Rasmus zat te eten was Oskar aan het vertellen van Lif en Liander en van de ketting van mevrouw Johansson.

„Het komt vast een dezer dagen in de krant," zei Oskar trots. „Dan kunnen jullie van alles lezen over mij, en over Rasmus, de koning der strijders."

Mevrouw Nielsen zat Rasmus maar aan te kijken. Ze keek hem zo lang aan dat hij op het laatst zijn hoofd af moest wenden.

„Arme jongen," zei ze, „vond je het niet leuk in Zuiderveld?"

Rasmus bleef maar naar zijn bord staren en gaf geen antwoord.

„Hoe is het eigenlijk in Zuiderveld?" ging mevrouw Nielsen verder. „We hebben er al vaak over gedacht erheen te gaan om een pleegkind uit te zoeken, maar er is nog nooit iets van gekomen. Van de winter hadden we eigenlijk willen gaan, maar toen kreeg ik zo'n vreselijke pijn in mijn arm."

„Ja, aldoor kwam er weer iets tussen," zei haar man.

Eindelijk keek Rasmus mevrouw Nielsen verlegen aan.

„Dan wilt u zeker wel een meisje hebben?" zei hij bedeesd.

Mevrouw Nielsen glimlachte.

„Nee, we zouden liever een jongen hebben. We hebben immers deze grote boerderij, en als we zelf geen kinderen krijgen, dan hebben we niemand die daar eens voor zal kunnen zorgen."

„Nee, we willen een jongen hebben," zei de boer.

„Met krullen?" vroeg Rasmus.

Mevrouw Nielsen keek hem stomverbaasd aan en begon te lachen.

„Ja, hoe kun je dat raden? Ik had inderdaad een jongen met krulhaar in gedachten, dat had ik tenminste."

Rasmus knikte.

„Dat begrijp ik," zei hij, en hij bleef hardnekkig op een zwoertje kauwen.

„Maar ik geloof dat ander haar ook nog wel door de beugel zou kunnen," zei de boer, terwijl hij Rasmus voor de grap aan zijn steile pieken trok.

„Nee, het gaat echt niet om het haar," zei Oskar. „Als ik jullie was, dan nam ik Rasmus, de koning der strijders, met steil haar. Als hij zelf wil, natuurlijk."

Mevrouw Nielsen glimlachte tegen Rasmus.

„Wil je het?"

Er ging een schok door Rasmus heen. Was het mogelijk dat ze hem wilden hebben? Was er werkelijk iemand op aarde die hem wilde hebben?

„Wil je het?" vroeg die mooie mevrouw alsof het niets was. En óf hij wilde! Want ze waren zo mooi en zo vriendelijk, de boer en zijn vrouw, en ze waren vast en zeker ook rijk. Rijk, vriendelijk en mooi... en ze wilden hem hebben!

„Je kunt hier natuurlijk eerst een paar dagen blijven, dan kunnen we zien of we het met elkaar uithouden," zei de boer. „Zoiets kun je misschien niet in een handomdraai beslissen."

„Maar ik wil het wel," zei Rasmus verlegen.

„Ja, een betere jongen krijg je nooit," zei Oskar.

Mevrouw Nielsen keek Rasmus ernstig aan.

„Ja, ik geloof dat ik van jou zou kunnen houden," zei ze.

Na afloop van het eten gaf ze iedereen koffie op de veranda, en daarna lieten ze Rasmus en Oskar alleen achter. Toen pas werd het Rasmus duidelijk dat hij van Oskar afscheid moest nemen. Hij voelde een steek in zijn borst bij de gedachte.

„Oskar, vind je dat ik hier moet blijven?"
„Natuurlijk blijf je. Een betere plek kun je nooit vinden."
Rasmus werd er stil van. Op de een of andere manier had hij gehoopt dat Oskar iets anders zou zeggen... zeggen dat hij Rasmus niet kon missen... zeggen dat zij tweeën bij elkaar hoorden. Maar dat zei hij niet. En bij het zwerven was Rasmus ook maar een blok aan zijn been.
„Nu kun je veel vlugger gaan, nu ik er niet meer bij ben," zei Rasmus met trillende stem. „Je kunt veel meer kilometers per dag afleggen..."
„Ja, dat kan ik zeker," gaf Oskar toe. „Maar al die kilometers zijn hetzelfde, dus het doet er eigenlijk niets toe hoe ver je gaat."
Rasmus zuchtte.
„Ik hoop dat je niet nog meer dieven ontmoet, nu ik er niet meer bij ben."
„O nee, zoveel dieven zijn er nou ook weer niet. Ik zal wel zorgen uit hun buurt te blijven."
Rasmus was even stil, toen zei hij: „Als jij nu vanavond gaat slapen, dan ben je alleen."
„Dan ben ik alleen... dat zal niet gemakkelijk zijn voor oude Oskar. Maar gelukkig weet ik dan dat jij in een mooi kamertje ligt op de Steenhoeve en dat je daar alle komende nachten zult liggen en dat je niet meer uit zwerven hoeft te gaan."
Rasmus slikte. „Stel je eens voor dat we elkaar nooit meer zien, Oskar."
Even nam Oskar de beide handen van Rasmus in zijn knuisten.
„Natuurlijk ontmoeten we elkaar nog. Wanneer jij op een avond zit te eten met je vader en moeder, dan wordt er op de deur geklopt en dan komt de geluksvogel binnengestapt. En hij zegt: 'Zou ik hier vannacht misschien op de hooizolder mogen liggen?' En dan zeg jij, dik, blozend en stralend: 'Ja natuurlijk mag je dat, Oskar!' Lijkt je dat niet leuk?"

Maar Rasmus vond er niets aan. De tranen sprongen hem in de ogen. Oskar ging verder: „Je zult trouwens zien dat ik hier vaker kom dan je denkt. Dus we ontmoeten elkaar echt nog."

„Is dat helemaal zeker, Oskar?"

„Zo zeker als amen in de kerk. En denk er nu maar eens aan hoe leuk het zal zijn met alle paarden, koeien en varkens."

„Denk je dat er een kat is?" vroeg Rasmus.

Mevrouw Nielsen, die er aankwam om de koffiekopjes te halen hoorde zijn vraag en zei: „Nee, er is geen kat, want daar hou ik niet van. Maar er is een hond, die gisteren vijf jongen heeft gekregen. Morgenochtend mag je ze zien."

Voor vijf jonge hondjes vergeet je alle zorgen op de wereld als je negen jaar bent. Rasmus danste van plezier – morgen zou het fijn zijn, o, wat zou het morgen fijn zijn.

„Je hebt zeker een vreselijke slaap," zei mevrouw Nielsen. „Ik zal je zo wijzen waar je slaapt." Toen liep ze weg met haar koffiekopjes.

„Laten we elkaar nu maar goeiendag zeggen," zei Oskar. „Vannacht ga ik op de hooizolder slapen en morgenochtend stap ik voor dag en dauw op."

„Maar je komt me gauw opzoeken, hè?" zei Rasmus angstig.

Ergens in hem was er een stem die zei dat hij Oskar nooit meer zou zien, en dat was een afschuwelijke gedachte. Maar daaraan wilde hij nu niet denken. Hij had zo'n slaap, en morgen zou hij de jonge hondjes zien.

Hij greep Oskars hand.

„Dank je wel dat ik met je mocht zwerven. En dank je wel dat je zo aardig bent geweest."

„Ik dank jou," zei Oskar. „Ik vind je een leuk kereltje met steil haar."

Toen ging Oskar weg. Op de veranda stond Rasmus hem met prikkende ogen na te kijken. Daar liep hij in de schemering, met zijn rugzak op zijn rug. Hij liep over het erf naar de hooizolder. Rasmus zag hem de grote deur openmaken. Toen verdween Oskar, toen zag Rasmus hem niet meer.

14

Rasmus werd de volgende morgen vroeg wakker. Hij wist dat het vroeg was, want de zon die langs het donkerblauwe rolgordijn naar binnen scheen, was de vroege ochtendzon. En de geluiden die hij in huis hoorde, waren echte morgengeluiden. Iemand pookte de kachel op en iemand was koffie aan het malen.

Slaperig keek hij de kamer rond. Het was werkelijk een keurig, klein kamertje en hij had nog nooit in zo'n zacht bed gelegen.

Hij hoorde stappen in de keuken. Dat waren natuurlijk zijn nieuwe vader en moeder die daar rondliepen. Hij probeerde zich te herinneren hoe ze eruitzagen, de boer en zijn vrouw, en hij zag hun vriendelijke gezichten voor zich. Over precies zo'n vader en moeder had hij in Zuiderveld zo vaak gedroomd. Ja, er was een groot wonder gebeurd... hij had een eigen vader en moeder gekregen.

Waarom was hij dan niet blij? Waarom voelde hij zich zo verdrietig? Hoe meer hij wakker werd, des te verdrietiger werd hij. En ten slotte was hij ongelukkiger dan hij ooit was geweest sinds hij uit Zuiderveld was weggelopen. Er was iets dat hem benauwde, er was iets dat hem zo verdrietig maakte dat hij dacht dat hij dood zou gaan. Hij probeerde te denken aan de jonge hondjes die hij vandaag zou mogen zien, maar hij kon zich gewoon niets van die jonge hondjes aantrekken nu hij zo verschrikkelijk bedroefd was.

Oskar! Het was Oskar naar wie hij zo vreselijk verlangde, dat het hem pijn deed in zijn borst. En er was tegen deze pijn maar één middel. Hij moest Oskar te pakken zien te krijgen, hij moest met hem praten, hij moest hem smeken om weer met hem mee te mogen zwerven.

Maar het was natuurlijk te laat. Oskar was zeker allang weg, Rasmus zag hem alleen voortstappen op een eenzame weg in de morgenzon. O, hij kon het niet verkroppen dat het te laat was!

Met een schreeuw sprong hij uit zijn bed en begon zijn kleren aan te trekken. Hij had zo'n haast en hij was zo ongelukkig, dat hij er helemaal onhandig van werd. Zijn handen trilden toen hij zijn blouse wou dichtknopen, en hij kon zijn broek haast niet aan krijgen.

Juist toen hij klaar was ging de deur open en kwam mevrouw Nielsen binnen. Wáárom moest ze nú komen. Hij had geen tijd om het haar uit te leggen.

„Ik moet Oskar even iets zeggen," zei hij, en stormde haar voorbij.

„Ik geloof dat Oskar al weg is," riep ze hem achterna. „Een half uur geleden zag ik hem van de hooizolder komen."

Verblind door zijn tranen rende hij de trap af, het erf op. Hij begreep dat Oskar weg was, maar hij moest het zelf zien. Hij moest zich ervan overtuigen dat alle hoop gevlogen was. Bezeten holde hij over het erf naar de schuur waarin hij Oskar gisteravond had zien verdwijnen. Met moeite maakte hij de zware deur open en klom naar de hooizolder. Het was er helemaal donker omdat hij regelrecht uit het sterke zonlicht kwam. Hij zag niets, hij schreeuwde alleen maar.

„Oskar!" schreeuwde hij. „Oskar!" En toen hij geen antwoord kreeg begon hij luid te snikken. Zijn ogen waren nu aan het donker gewend en hij staarde naar de donkere hooizolder. Ze hadden hier nog geen hooi binnengebracht en de zolder was kaal als een woestijn. En er was geen Oskar te bekennen.

Hij jammerde; het deed zo'n pijn dat hij het niet kon laten. Het was een rampzalig, wanhopig gejammer dat hij liet horen. Hij steunde met zijn voorhoofd tegen de muur en probeerde niet langer zich te beheersen.

Toen hoorde hij de schuurdeur opengaan. Daar kwam mevrouw Nielsen aan om hem te halen, juist nu hij met rust gelaten wilde worden. Ze mocht hem niet horen huilen. Hij probeerde stil te zijn, maar kon het niet. Hij schokte van het snikken. Hij schaamde zich en verborg zijn gezicht in zijn handen en liet de tranen tussen zijn vingers door stromen.

„Dat was me een droevig ochtendlied," hoorde hij een stem zeggen.

Het was niet de stem van mevrouw Nielsen. Oskars stem... Oskar stond daar! Blindelings stormde Rasmus op hem af en hij omklemde zijn arm.

„Oskar, ik wil met je meegaan. Oskar, je moet me mee laten gaan!"

„Zo, zo, zo," zei Oskar. „Dan gaan we er hier in de zon eens eventjes over praten."

Hij trok Rasmus mee naar buiten. Ze gingen met hun rug naar de schuurdeur zitten. Oskar legde zijn arm om Rasmus' schouder.

„Kijk nu eens eventjes," zei hij, en hij wees op de prachtige boerderij. „Kijk nu eens waar jij mag wonen! Straks gaan ze de melk wegbrengen, en dan mag jij meerijden. En als je dan thuiskomt, dan ga je naar de jonge hondjes kijken, en dan praat je wat met je vader en moeder."

„Ik wil bij jou blijven, Oskar," snikte Rasmus.

„Je éígen vader en moeder, denk daar goed aan," zei Oskar. „Die jij zo lang gezocht hebt."

„Maar ik wil liever met jou gaan zwerven. Kun jij mijn vader niet zijn?"

Oskar werd bijna boos.

„Een landloper als vader. Daar heb ik nog nooit van gehoord. Jij wilt toch geen landloper als vader hebben?"

„Ja, zo een als jij," mompelde Rasmus.

„Maar je hebt de hele tijd gezegd dat je bij iemand wilt zijn die mooi en rijk is."

Rasmus keek Oskar knorrig aan. „Ik vind dat jij ook best mooi bent."

Toen begon Oskar te lachen. „Ja, ja, ik ben mooi als een bruid. En rijk ben ik ook. De veldwachter heeft me tien gulden gegeven, ja hoor, rijk ben ik ook."

„Je hebt niet zoveel geld nodig als je gaat zwerven," vond Rasmus. „En het kan me niets schelen dat mijn nagels in de winter barsten. Ik wil toch met je gaan zwerven, Oskar. Lieve, beste Oskar..."

Verder kwam hij niet, want de tranen hadden hem alweer overmeesterd. Oskar zweeg een poosje. Toen klopte hij Rasmus op zijn schouder, en zei nadenkend: „Doe maar wat je wilt. Wat gebeurt is het beste, zei de oude vrouw toen de oude man zich ophing. Ja, wat gebeurt is het beste."

Rasmus slaakte een diepe zucht, een heel diepe zucht. En heel langzaam kwam er een lachje op zijn behuilde gezicht te voorschijn. Hij trok Oskar aan zijn mouw.

„Kom, we gaan meteen weg."

„Nee, eerst moet je aan mevrouw Nielsen gaan vertellen dat je van plan veranderd bent."

Rasmus werd alweer bang. „Moet ik dat...? Kun jij het niet..."

„Nee, mijn jongen, dat zaakje moet je zelf opknappen."

Het is niet gemakkelijk om aan de mensen te gaan vertellen dat je ze niet als vader en moeder wilt hebben. En als je verlegen bent is het een vreselijke onderneming. Maar Rasmus wilde alles wel ondergaan, als hij maar met Oskar mee mocht.

Hij liep naar de waterkraan op het erf en waste alle sporen van tranen weg. Toen wuifde hij naar Oskar om zichzelf moed in te blazen, en stapte vastbesloten naar de keuken.

Daarbinnen zaten ze met hun tweeën, de boer en zijn vrouw. Ze waren aan het ontbijten. Rasmus bleef, zoals alle landlopers, bij de deur staan. Afschuwelijk, nu moest hij het gaan uitleggen. Wat zouden ze zeggen? Zouden ze erg boos worden?

„Ik wil liever bij Oskar blijven," zei hij.

Even was het stil in de keuken, toen zei mevrouw Nielsen: „Kom maar eerst eten, dan kun je ons vertellen waarom je liever bij Oskar blijft."

Houterig kwam Rasmus dichterbij.

„Ik ben aan hem meer gewend," zei hij.

Mevrouw Nielsen wilde hem naar de tafel toe trekken, maar hij stribbelde tegen. Als een weerbarstig geitje zette hij zich schrap, hij was zo bang dat ze hem zouden beletten met Oskar mee te gaan.

„Jij hebt eten nodig als je wilt gaan zwerven," zei de boer vrolijk.

„En maak maar een beetje voort, want Oskar staat zeker op je te wachten," zei mevrouw Nielsen.

Dat klonk niet alsof ze hem met alle geweld tegen wilden houden.

Hij hield op met tegenstribbelen, en liet zich naar de tafel trekken.

Voorzichtig ging hij op het puntje van een stoel zitten, en met een bezwaard hart keek hij de twee mensen aan die zijn vader en moeder hadden zullen worden.

„Ja, dan worden we ook niet met de jonge hondjes geholpen," zei mevrouw Nielsen.

Rasmus sloeg zijn ogen neer.

„Ik wil liever bij Oskar blijven," mompelde hij.

Mevrouw Nielsen tikte hem op zijn wang.

„Wees maar niet verdrietig," zei ze. „Dan moeten we maar naar Zuiderveld gaan, en kijken of we iemand anders kunnen vinden die voor de hondjes wil zorgen."

Rasmus werd opeens helemaal enthousiast en hij vergat om nog langer verlegen te zijn.

„Ik weet wie u dan moet nemen!" riep hij uit. „U moet Gunnar nemen! Hij heeft steil haar, maar verder is hij goed – ja, hij is de beste. Ik ken alle kinderen en ik weet dat Gunnar de beste is."

„En wil hij niet gaan zwerven?" vroeg de boer een beetje plagerig.

„Hij wil ontzettend graag op een boerderij komen, want hij houdt zo veel van dieren. En hij vloekt niet en dat doen Grote-Peter en Emiel en bijna alle anderen wel. Gunnar is de beste!"

„Dan moeten we maar eens gauw naar die Gunnar gaan kijken, omdat hij zo goed is," zei mevrouw Nielsen, en ze gaf Rasmus een groot bord pap. Toen hij daarna wegging gaf hij hun allebei plechtig een hand als afscheid. Hij keek mevrouw Nielsen heel ernstig aan.

„Neem geen meisje met krullen," zei hij. „Gunnar is de beste!"

Het had 's nachts geregend. Na regen komt zonneschijn en ze liepen vrolijk over de weg. Oskar nam grote stappen over de plassen, maar Rasmus liep er dwars doorheen, zodat het in het rond spatte.

„Ik heb zulke gelukkige voeten," zei hij, toen hij de modder tussen zijn tenen door zag siepelen. „Ik ben trouwens helemaal zo blij, mijn hele lichaam is gelukkig."

Oskar begon te lachen.

„Ja, een heerlijk gevoel hè, om van die boerderij met al zijn hebben en houden af te zijn."

Rasmus spatte tevreden door de volgende plas.

„Weet je wat ik bedacht heb, Oskar?"

„Nee, maar het zal wel iets slims zijn, kan ik me zo voorstellen."

„Ik heb bedacht dat als je gaat zwerven, eigenlijk alles wat je ziet van jou is!"

„Nou, dan heb je een goede ruil gedaan, als je dit alles hebt," zei Oskar, terwijl hij op het schitterende landschap wees dat daar frisgewassen in de morgenzon lag.

Even bleef hij staan en keek in het rond.

„O, wat is het toch prachtig in deze tijd van het jaar! Het is echt niet gek dat je buiten rond wilt zwerven."

Rasmus sprong vrolijk naast hem.

„En het is allemaal van ons. Alle berken zijn van ons, en het meer is van ons, en de wei, en alle klokjes, en de weg en de plassen."

„De plassen zijn van jou," zei Oskar. „Ik hoef er maar een te hebben, en ik wil hem nog wel weggeven ook."

„Maar de huizen zijn niet van ons," zei Rasmus. „Want daar wonen overal andere mensen."

„Daar kunnen we geen rekening mee houden," zei Oskar. „De huizen zijn van ons, één huis moeten we toch wel hebben."

Rasmus werd ernstig en keek vol verlangen naar de kleine huisjes waar ze voorbijliepen.

„Ja, één huis moesten we eigenlijk hebben, jij en ik," zei hij met een diepe zucht. „Een huisje waar we 's winters kunnen wonen, zodat onze nagels dan niet barsten."

„Ach ja, ach ja," zei Oskar.

Maar de zon scheen, en de winter was zo ver weg dat je je om huizen nu niet hoefde te bekommeren.

Ze liepen verder en Rasmus bezat alle weiden, alle meertjes, en alle bomen die hij zag. Hij was de huizen al weer vergeten.

Nu lieten ze trouwens de bebouwde vlakte achter zich. Hier waren geen huisjes meer, alleen maar bossen. Tussen de hoge, kaarsrechte dennen scheen de zon op het groene mos en op de kleine klokjes van de linnea, die de mooiste zomerdagen aankondigden.

„Nou gaan we door het bos van de Steenhoeve," zei Oskar. „Al deze bomen hadden echt van jou kunnen zijn."

„Maar ik wil liever bij jou blijven," zei Rasmus, en hij keek Oskar vol liefde aan.

Oskar bekeek hem eens zoals hij daar liep, op blote voeten, door de muggen gebeten, mager, blij en met lange haren, met een verstelde broek en een blauwgestreept bloesje dat allang gewassen had moeten worden. Een landloper van onder tot boven.

„Dan zal ik jou eens iets vertellen. Ik wil ook bij jou blijven."

Rasmus bloosde en antwoordde niet. Dit was de eerste keer dat Oskar gezegd had dat hij bij hem wou blijven. Hij werd nog gelukkiger, hij sprong over de plassen en had het gevoel dat hij uren zo kon doorlopen. Maar weldra was er weer een dorpje in het zicht.

En aan de rand van het meer lag een klein huisje, precies zoals alle andere huisjes, met een paar appelbomen eromheen en een kapotte omheining.

Oskar bleef bij het hek staan.

„Ja, natuurlijk hebben we ook huizen. Alleen geen andere dingen! Ik vind dat dit huis het onze moet zijn."

Hij maakte langzaam het hek open en liep een eind het tuintje in.

Rasmus begon te lachen.

„Wat doe je gek, Oskar! Gaan we hier zingen?"

„Nee, hier zingen we zo weinig mogelijk."

Maar zonder meer stapte hij op het huis af en Rasmus volgde hem op de voet.

Toen zag hij dat daar een vrouw de was stond op te hangen. Ze stond met haar rug naar hen toe en hing handdoeken aan een waslijn, die tussen twee bomen gespannen was.

„Martina," zei Oskar. En toen keerde de vrouw zich om.

Ze had een grof, breed gezicht, en ze zag er knorrig uit.

„Zo, ben je daar?" zei ze.

Rasmus was op een paar passen afstand blijven staan. Deze vrouw moest Oskar wel kennen. Maar ze was niet bepaald vriendelijk tegen hem, ze zag er echt boos uit. En nu wees ze op Rasmus.

„Wie heb je daar bij je?"

Oskar keek Rasmus opmonterend aan.

„Ja, ik heb onderweg een jongetje gekregen. Maar hij is zo klein dat je hem nauwelijks opmerkt. Hij heet Rasmus."

De vrouw bleef nog steeds even boos uit haar ogen kijken en Rasmus wou dat ze maar weer weggingen.

„Hoe heb je het deze keer gehad terwijl ik weg was?" vroeg Oskar, en zijn stem klonk bijna een beetje angstig.

„Ja, wat denk je? Ik heb gezwoegd, arm en ellendig, zodat ik er bijna gek van werd. Maar de hoofdzaak is dat jij maar langs de straten schooiert."

„Ben je erg boos op me, Martina?" vroeg Oskar onderdanig.

„Ja, dat ben ik," zei de vrouw. „Ik ben zo boos dat ik je wel kan slaan..." Ze hield opeens haar mond. En toen deed ze iets heel raars. Ze sloeg haar armen om de hals van Oskar en zei lachend: „Ja, ik ben boos, maar wat ben ik blij dat je er weer bent!"

Rasmus stond er helemaal verward bij en begreep er helemaal niets meer van. Wóónde Oskar hier? Was er echt een plek waar Oskar woonde? Dat had hij niet kunnen dromen. Oskar was de man die zomer en winter rondzwierf, Oskar woonde niet. Maar als hij hier nu wel woonde, wie was dan die Martina? Wat hij getrouwd met die vrouw? Rasmus stond bij de appelboom, en probeerde uit te vissen hoe alles in elkaar zat. En het blijde gevoel verdween uit zijn lichaam. Hij voelde zich opeens zo verlaten.

Daar stonden Oskar en Martina elkaar lachend aan te kijken. Het leek wel of Rasmus er niet was, om hem bekommerden ze zich niet.

Maar opeens liet Martina Oskar los en kwam op hem af. Ze ging voor hem staan, met haar handen in haar zij, bijna net zo breed als Oskar. Haar ogen waren nu vriendelijk en blij en ze zag er pienter uit. Ze lachte tegen hem, het was een vriendelijke lach alsof ze iets heel leuk vond.

„Zo zo, Oskar, je hebt dus onderweg een jongetje gekregen," zei ze en ze bekeek Rasmus van top tot teen.

„Ja, een klein raar jongetje dat een landloper als vader wil hebben. Hij wil mij liever als vader hebben dan de boer van de Steenhoeve, wat vind je daarvan?"

„Als hij jou tot vader wil hebben, dan heeft hij niet veel verstand," zei Martina.

„Nee, dat is waar. Maar een slechtere moeder dan jij bent zou hij best kunnen treffen."

„Het valt me wel koud op het lijf, moet ik zeggen. Maar jouw eigenaardigheden vertonen zich altijd op de raarste momenten. Heeft die jongen geen ouders?"

„Nee," zei Oskar, „hij heeft geen andere ouders dan jou en mij."

Martina lichtte het hoofd van Rasmus op, om hem in de ogen te kunnen kijken. Een hele tijd keek ze hem onderzoekend aan en toen zei ze: „Zou je het willen? Zou je hier bij ons willen wonen?"

En opeens voelde Rasmus dat dit het was wat hij wilde: met Oskar en Martina in dit grauwe huisje aan het meer blijven wonen.

Oskar en Martina waren niet mooi, Martina had geen blauwe hoed met veren, maar dat deed er niets toe, hier wilde hij wonen.

„Wil Martina dan wel een jongen met steil haar hebben?" vroeg hij verlegen.

Toen nam ze hem in haar armen, en hij sloeg de zijne om haar heen.

Niemand had hem in zijn armen genomen sinds die keer toen juffrouw Haviks hem op schoot genomen had omdat hij oorpijn had.

De armen van Martina waren hard en sterk, maar op de een of andere manier waren ze toch zacht, ja, ze waren veel zachter dan die van juffrouw Haviks.

„Of ik er een wil hebben met steil haar?" zei Martina lachend. „Dat kun je toch wel begrijpen! Ik wil geen krullenbol hebben als ik zelf steile pieken heb. Eén krullenkop in de familie is genoeg," zei ze en keek naar Oskar.

Oskar was op de veranda gaan zitten. Hij speelde met een klein zwart katje, dat hem kopjes kwam geven.

„Een jongen met steil haar, of helemaal geen jongen," zei Oskar. „Dat hebben Martina en ik altijd al gezegd."

Rasmus' ogen begonnen te stralen. Zijn hele gezicht klaarde op.

„Kijk eens, Rasmus, heb je dit kattenbeest al gezien?" Rasmus ging gauw naast Oskar zitten. Hij aaide het katje zachtjes, hij nam het op schoot en drukte het tegen zich aan.

„Van zo'n katje heb ik nou gedroomd," zei Rasmus.

„Dan is het jouw poesje," zei Oskar. „Martina, Rasmus en ik hebben een liedje gemaakt van een kat, die steeds haring en piepers at."

„Piepers en haring staan op de kachel, willen jullie eten?" vroeg Martina.

Oskar knikte. „Graag," zei hij, en toen begon hij te zingen dat het ervan dreunde:

Geloof het of niet, maar die piepers en haring,
die at hij wanneer hij geen rat ving.

Toen pakte hij Rasmus stevig bij zijn nek. „Kom, dan gaan we naar binnen."

Misschien was hij wel geboren in zo'n klein, grauw huisje, misschien was het eerste wat hij in zijn leven gezien had wel zo'n keukentje geweest, met een wit geschuurde vloer, met een bank in de hoek, een klaptafel en geraniums voor het raam. Misschien voelde hij zich daarom wel zo thuis toen hij de grote, versleten drempel over stapte.

Hij zat met Oskar en Martina aan de keukentafel aardappelen en haring te eten. Een warm gevoel stroomde door hem heen, hij was thuisgekomen. Martina praatte en had het druk met haar werk, ze lachte en was helemaal uitgelaten; je kon gewoon niet geloven dat het dezelfde Martina was die er daarnet zo boos uitzag. En je kon gewoon niet verlegen meer zijn, ze praatte met je of je wilde of niet.

Maar hij had niet het gevoel dat grote mensen hem zo vaak gaven wanneer ze met hem praatten: als ze het alleen maar deden om vriendelijk te zijn. Martina praatte met je omdat ze het zelf leuk vond.

„Dat is wel het toppunt," zei ze, toen ze de verhalen over Lif en Liander in geuren en kleuren te horen had gekregen. „Met die lummels zou ik wel eens een woordje willen wisselen."

„Nou, straf krijgen ze," zei Oskar. „Maar weet je met wie je moet gaan praten? Je moet naar het gemeentehuis gaan en toestemming vragen om Rasmus hier te houden. Ik kan nou eenmaal geen stadstaal praten, dus het heeft geen nut dat ik ga. Trouwens, dan vragen ze me toch maar: Wat deed Oskar op donderdag?"

„Dat zou ik ook wel eens willen weten," zei Martina. „Ik vraag me af wat jij donderdag gedaan hebt toen ik tot elf uur 's avonds bij de dominee gewassen heb."

En terwijl ze brood aan het snijden was en de haring klaarmaakte, vertelde ze hoe lastig het wel was om met zo'n luilak als Oskar getrouwd te zijn. „Begrijp je, Rasmus, opeens word je op een ochtend wakker en dan is de vogel gevlogen. Op de keukentafel heeft Oskar dan een briefje neergelegd: 'Ik ben weer op stap.' Alleen maar een klein briefje dat hij weer op stap is, begrijp je dat nou, Rasmus?"

Oskar zag er niet in het minst verdrietig uit, hij ging rustig door zich vol te proppen met aardappelen en haring.

„Ga door, Martina, ga door!"

„Ik weet niet wat ik nog meer moet zeggen als ik je al luilak genoemd heb," zei Martina.

Toen begon Rasmus Oskar te verdedigen.

„Oskar is geen echte luilak. Hij heeft mij verteld dat hij niet altijd wil werken. Maar als hij werkt dan vliegen de stukken er ook af!"

Martina knikte vol instemming.

„Ja, zo is het. Weet je wat boer Nielsen laatst zei: Oskar is mijn beste pachter, als hij maar wil."

„En nu wil ik," zei Oskar. „Ik hoop van harte dat ik het zwerversbloed verlies, en dat er daarvoor in de plaats wat pachtersbloed komt."

Toen keek hij Rasmus aan en lachte schelms.

„Maar, volgend jaar, dan maken we nog een klein ommetje, Rasmus en ik."

Rasmus keek hem met ogen vol bewondering aan. Wat heerlijk om een landloper als vader te hebben, om een geluksvogel als vader te hebben.

„Nu vertel ik je iedere dag wat je doen moet," zei Martina. „Je moet de omheining repareren en je moet aardappelen rooien. En overmorgen moet je op de Steenhoeve hooien."

Oskar knikte.

„Ja, dat zei boer Nielsen, dus dat weet ik al. Maar morgen staan Rasmus en ik vroeg op om baars te gaan vissen. We hebben hier in het meer namelijk een oud roeibootje, Rasmus. Daarmee gaan we naar ons viswater. Je houdt toch wel van vissen?"

Rasmus knikte stralend.

„Ik heb het nog nooit gedaan," zei hij.

„Dan wordt het tijd," zei Oskar.

Ja, het was heerlijk om een landloper als vader te hebben en een Martina als moeder. Het was zo fantastisch om een eigen vader en moeder te hebben! Hij had het wel gezegd tegen Gunnar; je moest zelf op zoek gaan naar iemand die je wilde hebben!

Opeens flitste het door hem heen: Gunnar! Zijn haring bleef bijna in zijn keel steken toen hij daar plotseling aan moest denken.

Als Gunnar werkelijk naar de Steenhoeve kwam – wat een heerlijk toeval – dan zouden ze elkaar weer zien! Door het bos was het niet meer dan vijf kilometer, en hij kon met Oskar meegaan als die op de boerderij ging helpen. Hij zou de jonge hondjes van Gunnar kunnen zien en Gunnar zijn kat. En misschien mocht Gunnar af en toe mee uit vissen.

„Zeker wel," zei Oskar, toen hij het hem vroeg, „Gunnar mag mee uit vissen."

„En mijn kat zien," zei Rasmus.

Oskar knikte.

„Natuurlijk mag hij je kat zien."

Rasmus kon niet stil blijven zitten. Je kunt niet stil zitten wanneer je in je hele lichaam zo gelukkig bent.

„Denk eens aan Zuiderveld," zei hij. „Daar mocht je geen andere dieren hebben dan luizen in je haar."

Martina begon te lachen.

„Van luizen moeten we hier niets hebben. Jullie zijn trouwens smerig als varkens; neem maar eens een duik in het meer."

Oskar zuchtte.

„Nu begint het, zei de man, die zijn beer kunstjes liet vertonen."

Rasmus holde naar buiten. Wat een bof dat er hier ook een meer was... Dit was een wonderdag zoals hij er nog nooit een had meegemaakt.

Op de veranda bleef hij even op Oskar wachten. Zijn katje lag lekker in de zon te slapen. Ja, het was een wonderdag! Hij had een meer en een kat en een vader en een moeder. Hij had een thuis! Dit kleine, grauwe huisje was zijn thuis. De stammen waarmee het huis gebouwd was waren oud en verweerd, ze leken wel van zijde. Wat was het een fijn huis! Verlegen streelde hij de grove boomstammen.

Met een kleine, magere, vuile hand streelde Rasmus het huis dat zijn thuis was.

Lees ook deze boeken van Astrid Lindgren

De gebroeders Leeuwenhart

De broers Jonatan en Kruimel Leeuw trekken ten strijde tegen de boze heerser Tengil, die de meest vreselijke dingen doet en het land in zijn macht houdt. Kunnen ze hem verslaan?

Een spannend én ontroerend boek. Niet voor niets het lievelingsboek van heel veel kinderen!

ISBN 90 216 1592 4

Mio, mijn Mio

'Aan de koning van het land in de verte. Degene die je zo lang hebt gezocht, is op weg. Hij reist door dag en door nacht, en hij draagt het teken, de gouden appel.'

Dat staat op de kaart die Bosse op de bus moet doen. Hij begrijpt er niets van. Maar als hij naar de appel in zijn hand kijkt, ziet hij dat die van goud is...

ISBN 90 216 1853 2